la bonne merveille

La collection design&designer est éditée par
PYRAMYD NTCV
15, rue de Turbigo
75002 Paris France

Tél. : 33 (0) 1 40 26 00 99
Fax : 33 (0) 1 40 26 00 79
www.pyramyd-editions.com

Direction éditoriale : Michel Chanaud, Céline Remechido
Suivi éditorial : Émilie Lamy assistée de Clémence Thomas
Chef de studio : Olivier Soury
Photographies de couverture : ©Christophe Urbain (pour la première de couverture), ©Bertrand Desprez (pour l'intérieur de la couverture)
Traduction : Paul Jones
Correction : Dominique Védy, Paul Jones
Conception graphique du livre : Anna Tunick
Conception graphique de la couverture : Pyramyd ntcv
Conception graphique de la collection : Super Cinq

ISBN : 978-2-35017-127-2
ISSN : 1636-8150
Dépôt légal : juillet 2008

Imprimé en Italie par Eurografica

la bonne merveille

préfacé par jérôme delormas

1 + 2 = 3

UN ATELIER

La Bonne Merveille est un collectif de trois personnes, créé en 2002 par Thomas Couderc, Clément Vauchez et Thomas Dimetto. C'est une signature pour des travaux menés collectivement, même si la direction des projets est assurée au gré des affinités par l'un ou l'autre des trois créateurs.
Une importante recomposition du groupe est intervenue en 2007. Thomas Couderc et Clément Vauchez signeront désormais ensemble sous le nom de Helmo ; Thomas Dimetto poursuit un travail graphique personnel, doublé d'une activité de créateur dans le domaine du chapeau. La Bonne Merveille existe toujours, mais n'est plus qu'un espace physique partagé par les trois ex-La Bonne Merveille. Cependant, leurs regards continuent de se croiser et les propos de s'échanger autour des projets des uns et des autres réalisés dans l'atelier.

1+2=3

A STUDIO

La Bonne Merveille is a collective of three people, founded in 2002 by Thomas Couderc, Clément Vauchez and Thomas Dimetto. It's a signature for work done jointly, even though the direction a project takes depends on one of the three creators' affinities.
The group had a major overhaul in 2007. Thomas Couderc and Clément Vauchez now sign work together under the name Helmo; Thomas Dimetto is producing graphic work on his own, as well as designing hats. La Bonne Merveille still exists, but is now just a physical space shared by the three ex-members. Yet they still trade perspectives and comments about the various projects carried out in the studio.
Their respective skills allow a remarkable balance between typographic and imagery work on print and screen, although they sometimes collaborate with external partners to offer a full suite of services.

Les compétences de chacun permettent un remarquable équilibre entre le travail typographique, le travail d'image, imprimé ou sur écran, quitte à faire appel à des collaborations extérieures et se permettre ainsi un positionnement global. Leur champ de travail est ouvert : direction artistique, identité visuelle, signalétique, édition, événementiel, travaux personnels, chaque type de proposition offrant une lecture plus riche et cohérente de l'ensemble de leur activité.

AUDACE ET RIGUEUR

Ce qui peut caractériser cet atelier, c'est l'audace associée à un travail implacablement méthodique qui induit une grande sophistication. Le résultat est souvent jubilatoire, généreux, élégant, hors mode. Ils ont une étonnante capacité à développer des univers poétiques et oniriques, souvent empreints de culture cinématographique ou photographique. Cela peut prendre la forme d'amorces de récits pour le festival de jazz de Strasbourg, de portraits pour les concerts du Bar du Marché à Montreuil ou de chimères étranges pour les Galeries Lafayette. Univers fantastique, histoires intimes, sans excès rédhibitoire.

They operate across a wide spectrum of disciplines: art direction, visual identity, signage, publishing, events and self-initiated work. Each type of proposition helps give them a richer, more coherent overview of their activities.

BOLD AND RIGOROUS

If the studio has a hallmark, it is the boldness of its creations, coupled with a relentlessly methodical approach that gives great sophistication. The result is often exuberant, generous, elegant and beyond fashion.
La Bonne Merveille has an amazing ability to develop poetic and oneiric worlds, often inspired by film and photographic culture.
These might take the form of story intros for the jazz festival in Strasbourg, of portraits for the gigs at Bar du Marché in Montreuil, or of strange chimeras for Galeries Lafayette. Fantastical worlds and intimate stories, with no offputting excesses.

IMPRESSIONS

La poétique de La Bonne Merveille repose souvent sur la mise en œuvre de modes de fabrication et de production qui font d'eux de véritables artisans. Amoureux de l'imprimerie, ils en utilisent les ressorts techniques et économiques pour en tirer le meilleur parti au regard d'un contexte précis de commande. L'usage de la bichromie pour Jazzdor, les superpositions de couleurs et les étapes successives pour lux^{v} sont, à cet égard, exemplaires.

La combinaison et les surprises dues au processus d'impression créent une poésie que l'on retrouve dans les projets « narratifs ». Une règle prédéterminée et plutôt mécanique, logique, peut produire des univers purement poétiques. Tel est le cas de « Rencontre du troisième type » pour le festival Jazzdor. Une sorte de procédure systématique (lieu, personnage, boule de lumière) crée, par l'effet de série, de répétition et de contrainte, une narration énigmatique et captivante. Le projet d'identité de lux^{v} met, quant à lui, en œuvre un modèle économique fondé sur l'efficacité et une forme de rationalité, principe issu d'un parti pris conceptuel déterminé : la cartographie comme outil d'expérimentation

IMPRESSIONS

La Bonne Merveille's poetics often rely on the use of conception and production methods that make them true craftsmen. They love printworks, and use print's technical and economical potentials to make the most of a commission's precise context. Examples are the use of two-colour printing for Jazzdor and the colour overlays and successive production stages for lux^{v}.

The combinations and surprises arising from the printing process create a poetry also evident in the "narrative" projects. A predetermined rule, even if somewhat mechanical and logical, can produce purely poetic worlds. Such was the case of the "Encounter of the third type" for the Jazzdor festival. A kind of systematic procedure (place, character, glowing lightball) creates an enigmatic and engrossing narrative through the effects of series, repetition and constraints.

The identity programme for lux^{v}, meanwhile, deploys an economic model based on efficiency and on a form of rationality, a principle stemming from a strong conceptual idea: the map as a tool for experimenting with

d'un territoire réel, en l'occurrence celui d'un nouveau territoire artistique et culturel. La carte de lux[v], comme tous ses documents de communication de 2007, a été à la fois un outil, un jeu, un usage, un ensemble symbolique. C'est un système signifiant global, mais celui-ci ne vaut jamais pour lui-même. Il est conçu comme un langage producteur de contenus et d'économies dans tous les sens du terme, c'est-à-dire produisant à la fois des échanges symboliques et concrets.

DISPLAY

La carte est une forme de *display*. Cette manière de mettre à plat est récurrente. C'est une abstraction, une méthode, mais aussi un regard et un mode de présentation (comme avec « Quoi de neuf ? » aux Galeries Lafayette).

À bien des égards, La Bonne Merveille développe un art de la surface. Le *display* est également mis en œuvre dans le travail de signalétique et d'habillage graphique. Pour les expositions « David Smith » et « Sonic Process », ils produisent une véritable radiographie et projection en 2D dans un cas, un

a real territory – in this case, a new artistic and cultural territory. The map for lux[v], like all the venue's 2007 communications documents, was at once a tool, a game, a usage and a symbolic whole. It was a total signifying system. But this is never an end in itself. It was conceived as a language that yields meaning and also economy in every sense, i.e. it produces both symbolic and concrete exchanges.

DISPLAY

The map is a form of display. This form of flattening is a recurring feature in the studio's work. It is an abstraction, a method, but also a perspective and a method of presentation (as in "Quoi de neuf?" at Galeries Lafayette).

In many respects, La Bonne Merveille develops surface art. The display is also utilised in the studio's signage and graphic decoration work. For the exhibitions "David Smith" and "Sonic Process", they produced an actual X-ray and 2D projection in one case; and a maze in the form of a giant urban-transport plan in the other.

dédale en forme de plan géant des transports urbains dans l'autre. Le *display*, c'est aussi « Rock 'n' Roll, 1953-1959 » à la Fondation Cartier. On placarde, on affiche, on expose littéralement et naturellement cet art urbain.

MÉCANIQUE DE L'IMAGINAIRE

Le trio franc-comtois comprend, dans sa manière si japonaise de rendre la surface des choses intelligente et sensible, que son rôle est d'être une boîte à outils de notre regard. Je conseille vivement de les regarder et d'en faire usage.

Jérôme Delormas

"Rock 'n' roll, 1953-1959" at the Fondation Cartier also used display techniques. They plastered and posted, showing this urban art literally and naturally.

MECHANICS OF THE IMAGINATIVE REALM

The trio, from the Franche-Comté region of eastern France, understand, in the very Japanese way they have of making the surface of things intelligent and sense-engaging, that their role is to be a box of tools for seeing. I strongly advise you to look at these tools and use them.

Jérôme Delormas

PAGES 10 À 15 :
QUOI DE NEUF ?
OPÉRATION COMMERCIALE
AUX GALERIES LAFAYETTE
COMPOSITION D'OBJETS
SUR PLAN HORIZONTAL
PAGES 10-11 : IMAGE ENFANT
PAGES 12-13 : IMAGE FEMME,
EN COLLABORATION AVEC
MARIE-FRANCE DE CRECY ET MARIE
PAGES 14-15 : IMAGE HOMME,
ET PHOTOS DE L'INSTALLATION
PHOTOGRAPHIES : AD CLIC
2005

PAGES 10 TO 15:
[WHAT'S NEW?]
SALES OPERATION
AT GALERIES LAFAYETTE
COMPOSITION OF OBJECTS
ON A HORIZONTAL SURFACE
PAGES 10-11: CHILDREN'S IMAGE
PAGES 12-13: WOMEN'S IMAGE
IN COLLABORATION WITH MARIE
FRANCE DE CRECY AND MARIE
PAGES 14-15: MEN'S IMAGE
AND PHOTOS OF THE INSTALLATION
PHOTOGRAPHS: AD CLIC
2005

15
16

QUOI
DE
NEUF
?
CAISSE
's Graffiti
Jupe jean
14,90€

SONIC PROCESS

UNE NOUVELLE GÉOGRAPHIE DES SONS

16 OCTOBRE 2002 - 06 JANVIER 2003

EXPOSITION

- DOUG AITKEN
- MATHIEU BRIAND
- COLDCUT & HEADSPACE
- RICHARD DORFMEISTER
- FLOW MOTION
- RENÉE GREEN
- MARTI GUIXÉ
- RUPERT HUBER
- MIKE KELLEY
- GABRIEL OROZCO
- SCANNER
- DAVID SHEA

PERFORMANCES

- CERCLEROUGE
- BABYLON JOKE
- LES BOUCLES ÉTRANGES
- MATHIEU BRIAND
- CRYSTAL DISTORSION
- IXINDAMIX
- OPAK
- COLDCUT / HEADSPACE
- CYLENS
- VINCENT EPPLAY
- HALLUCINATOR
- PHAGZ
- MARC PIÉRA
- CÉDRIC PIGOT
- RO3 (RÖM)
- SCANNER
- DAVID SHEA
- UITRA MILKMAIDS

UNE NOUVELLE GÉOGRAPHIE DES SONS

www.sonic-process.org

PAGES 16 À 19 :
SIGNALÉTIQUE ET HABILLAGE GRAPHIQUE POUR L'EXPOSITION « SONIC PROCESS, UNE NOUVELLE GÉOGRAPHIE DES SONS » AU CENTRE POMPIDOU
ADHÉSIF NOIR MAT ET INSTALLATION ÉLECTRIQUE APPARENTE
EN COLLABORATION AVEC GRÉGOIRE TALON
SCÉNOGRAPHIE : LAURENCE LE BRIS
2002

PAGES 16 TO 19:
SIGNAGE AND GRAPHICS FOR THE ["SONIC PROCESS, A NEW GEOGRAPHY OF SOUND"] EXHIBITION AT THE POMPIDOU CENTRE
MAT BLACK ADHESIVE AND APPARENT ELECTRICAL INSTALLATION
IN COLLABORATION WITH GRÉGOIRE TALON
EXHIBITION DESIGN: LAURENCE LE BRIS
2002

MEXICO
LOS ANGELES
SALISBURY
SAO PAULO
TOKYO
DUSSELDORF
PARIS
NEW YORK
KINGSTOWN
DETROIT
AMSTERDAM
GLASTONBURY

SUD

AFFICHAGE SAUVAGE

Une fresque chronologique de 150 mètres sur l'histoire du rock 'n' roll.
Plusieurs couches se supperposent : grandes affiches recomposées en noir et blanc, affichettes textes et photos, néons et tourne-disques... Les affichettes, papiers colorés A4 et A3 photocopiés, sont collées à même le mur avec de la colle à affiche bon marché donnant une finition brute à l'ensemble.

BILL POSTERING

A 150-metre-long chronological mural on the history of rock 'n' roll. It has several layers: large recomposed black-and-white posters, small text-and-photo posters, neons, and record-players... The small posters – photocopied A3 and A4 colour sheets – are stuck directly on the wall with cheap bill-sticking glue to give the whole a raw finish.

PAGES 21 À 25 :
HABILLAGE GRAPHIQUE
DE L'EXPOSITION « ROCK 'N' ROLL 39-59 »
À LA FONDATION CARTIER
EN COLLABORATION AVEC ALICE GUILLIER
PAGES 24-25 : DÉTAIL DE L'ANNÉE 1959
SCÉNOGRAPHIE : AGENCE NC
2007

PAGES 21 TO 25:
GRAPHICS OF THE "ROCK 'N' ROLL 39-59"
EXHIBITION AT THE CARTIER FOUNDATION
IN COLLABORATION WITH ALICE GUILLIER
PAGES 24-25: DETAIL OF 1959
EXHIBITION DESIGN: AGENCE NC
2007

01
M
22
08
A
12
15
CHICKEN SHACK

"11,000 SOLD IN PHILLY
ALONE IN 2 WEEKS"
INPERSON
NEW Y RK, U. S.
N
O
S
A
07
08
21
Chorus

STOP BEATIN
BUSH

1956

1954
SUN

ELVIS PRESLEY

Chancellor PROUDLY PRESENTS
The Album SPECTACULARS of the Music Industry!
Created for SOUND selling on SIGHT...
FRANKIE AVALON
Swingin' on a Rainbow
THE GREAT LONG-PLAYING RECORDS... featuring the voices of America's two top teen-age idols!
PAYOLA AXES 'KING' FREED
17
Benjamin Earl Nelson, qui s'est rebaptisé Ben E. King, signe son premier solo chez Atlantic à New York.
D
DÉCEMBRE
21
Alan Freed refuse de signer une déclaration selon laquelle il n'aurait jamais accepté d'argent ni de cadeaux en échange de la promotion ou de la diffusion de certains disques. Il est aussitôt licencié par WABC, New York.
Alan Freed is dismissed by the radio station WABC, New York, after refusing to sign a statement that he had never accepted funds or gifts in return for promoting or playing records.
01
Ray Charles quitte Atlantic pour ABC-Paramount, qui lui offre la propriété de ses masters.
O
NOVEMBRE
OCTOBRE
N
22
DÉCEMBRE
Sam Cooke négocie un nouveau contrat avec RCA Victor qui sera signé le 1er janvier 1960.
Sam Cooke negotiates a new recording contract with RCA Victor Records, which is signed on January 1, 1960.
28
Diffusion de la dernière émission "Big Beat" d'Alan Freed sur WNEW-TV.
The final broadcast of Alan Freed's WNEW-TV show "Big Beat" is aired.
06
Le Legislative Oversight Committee de la Chambre des représentants des États-Unis annonce son intention d'enquêter sur des allégations selon lesquelles le personnel des stations de radio recevraient des pots-de-vin pour passer certains disques.
OCTOBRE
En France, Johnny Hallyday enregistre "T'aimer follement", son premier titre pour les Disques Vogue. Cette adaptation de "Makin' Love" de Floyd Robinson sort avec "Laisse les filles" en face B.

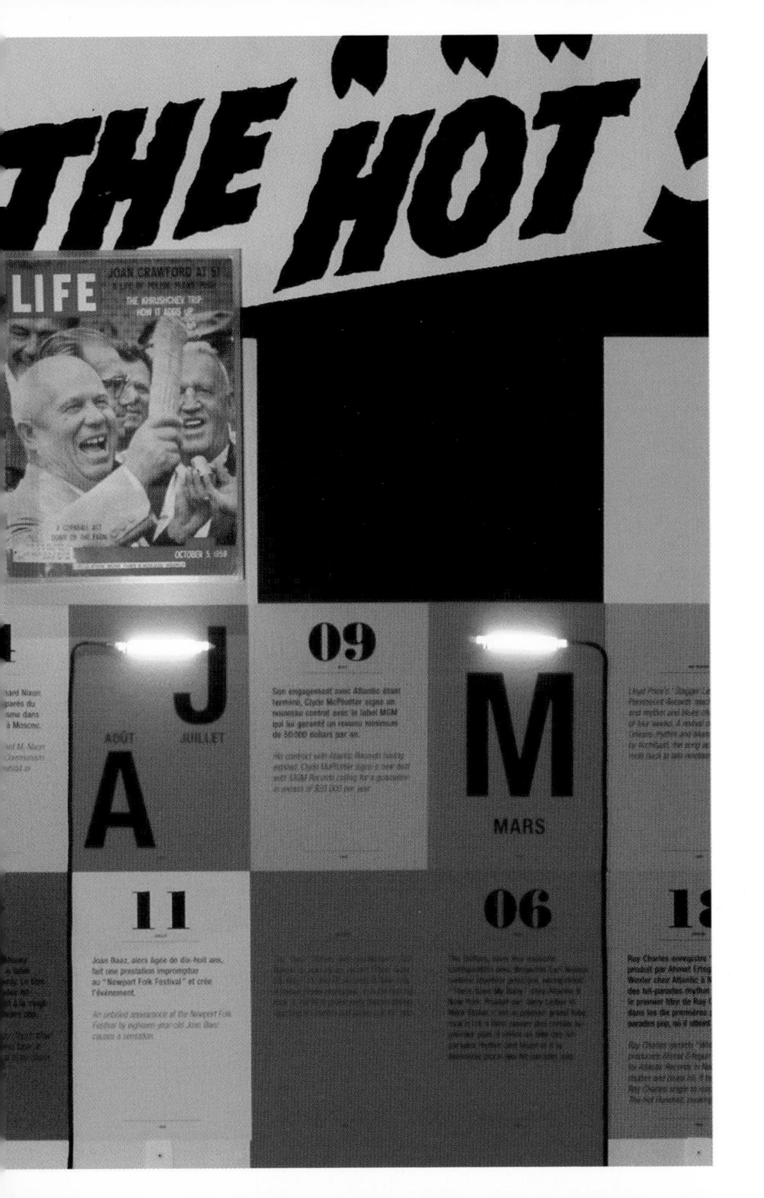
THE HOT
LIFE
JOAN CRAWFORD AT 51
THE KHRUSHCHEV TRIP:
HOW IT ADDS UP
OCTOBER 5, 1959
09
J
JUILLET
AOÛT
A
M
MARS
11
Joan Baez, alors âgée de dix-huit ans,
fait une prestation impromptue
au "Newport Folk Festival" et crée
l'événement.
06

le Grand Ensemble de la Méditerranée
FRANCE
PIKANTE
Çeçen kizi (Tanburi Cemil Bey)
Mostarski ducani (trad. Bosnie)
Gypsy party (Georgi Andreev)
Khatwat habibi (Mohamed Abd Al-Wahab)
Portika mou grammeni (trad. Grèce)
Pousteno (trad. Grèce)
Racenica (trad. Bulgarie)
Baidouska (trad. Grèce)
Air du Caucase (trad. Arménie)
Kojak cacak (trad. Macédoine) - Live
Strasbourg
english booklet inside!
"Une énergie rare, un son envoûtant, et des rythmes endiablés, pour un spectacle gorgé de soleil !"
" LE GRAND ENSEMBLE DE LA MÉDITERRANÉE... C'EST BON COMME LA-BAS ! "
" C'est dans une ambiance électrique et une salle chauffée à blanc que la tribu de musiciens survoltés du Grand Ensemble de la Méditerranée tient le public en haleine. Un répertoire de musiques traditionnelles qui laisse la part belle aux vagabondages sur les rivages de la Mare Nostrum ... un concert et un son qui vous décoiffent ! "
L'ASSOCE PIKANTE COLLECTIF
L'ASSOCE PIKANTE
11 Allée des Platanes, 67100 Strasbourg, France
le Grand Ensemble de la Méditerranée

IDENTITÉ DU GRAND ENSEMBLE
DE LA MÉDITERRANÉE
CD, DOSSIER DE PRESSE, PAPIER
D'EMBALLAGE POUR ORANGES,
AFFICHE 40 x 60 CM
IMPRESSION QUATRE PANTONE®
2005

IDENTITY OF THE GRAND ENSEMBLE
DE LA MÉDITERRANÉE
CD, PRESS PACK, ORANGE PAPER,
POSTER 40 x 60 CM
4 PANTONE® COLOUR PRINT
2005

RENCONTRE DU TROISIÈME TYPE

Un trio narratif constant : un lieu, un personnage, une présence lumineuse qui semble invisible au personnage. Une écriture cinématographique, une série d'images fixes comme des fragments d'une seule et même histoire pour un festival de jazz dédié à l'improvisation et à la création contemporaine.

ENCOUNTER OF THE 3rd TYPE

A constant narrative trio: a place, a character, and a luminous presence that the character appears not to see. A cinematographic style and a series of fixed images like fragments of the same story, for a jazz festival dedicated to improvisation and contemporary creativity.

PAGES 29 À 33 :
IDENTITÉ DE LA 21e ÉDITION DU FESTIVAL DE JAZZ DE STRASBOURG « JAZZDOR »
PHOTOGRAPHIES : CHRISTOPHE URBAIN, THOMAS COUDERC ET CLÉMENT VAUCHEZ
2006

PAGES 29 TO 33:
IDENTITY OF THE 21st EDITION OF THE STRASBOURG JAZZ FESTIVAL "JAZZDOR"
PHOTOGRAPHS: CHRISTOPHE URBAIN, THOMAS COUDERC AND CLÉMENT VAUCHEZ
2006

JAZZDOR
10.11 - 24.11.2006

FESTIVAL DE JAZZ DE STRASBOURG // 21E ÉDITION
TEL. 03 88 36 30 48 // OFFENBURG 0781/822000 // WWW.JAZZDOR.COM

DE
COMPLET

53

53

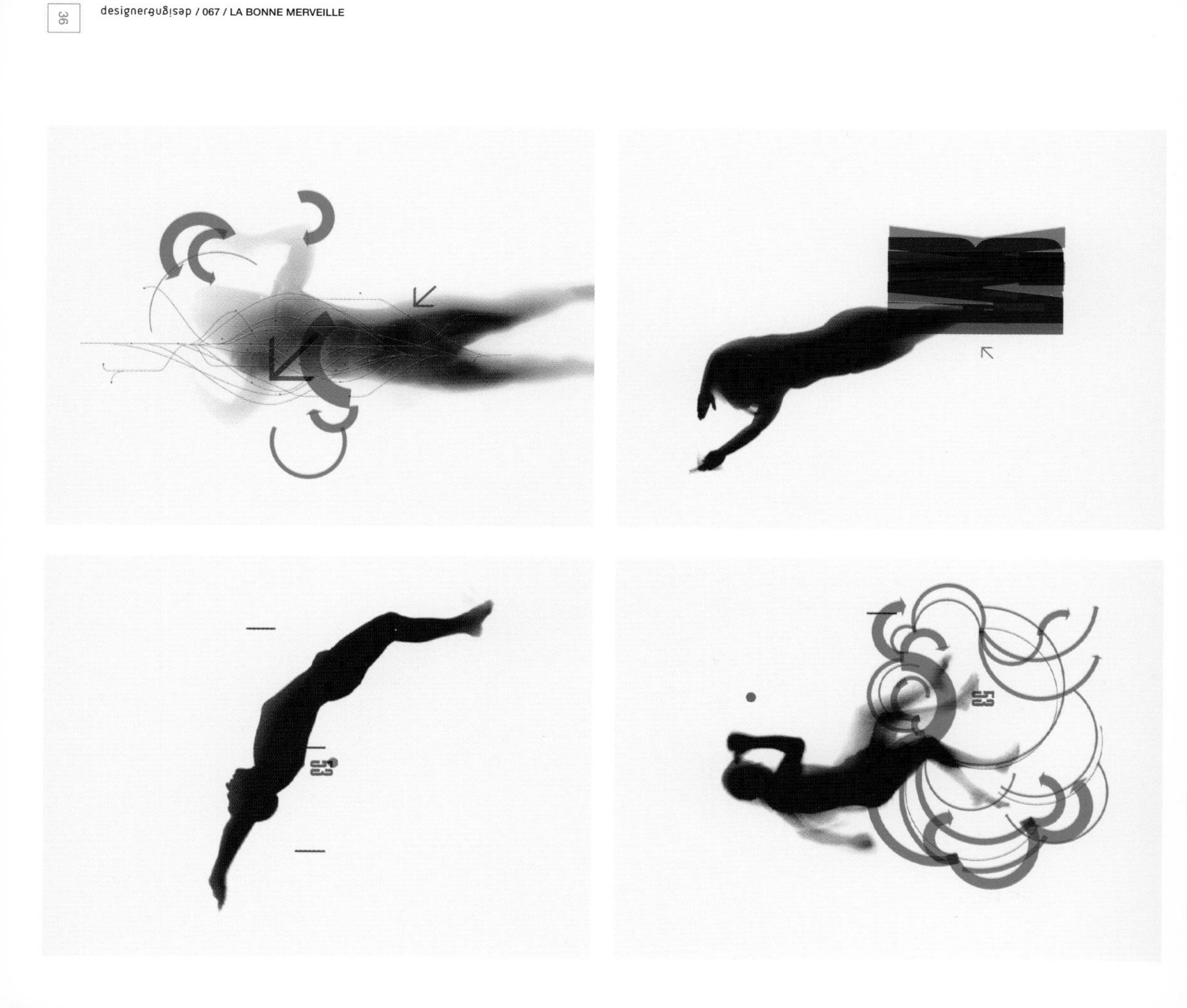
53
53

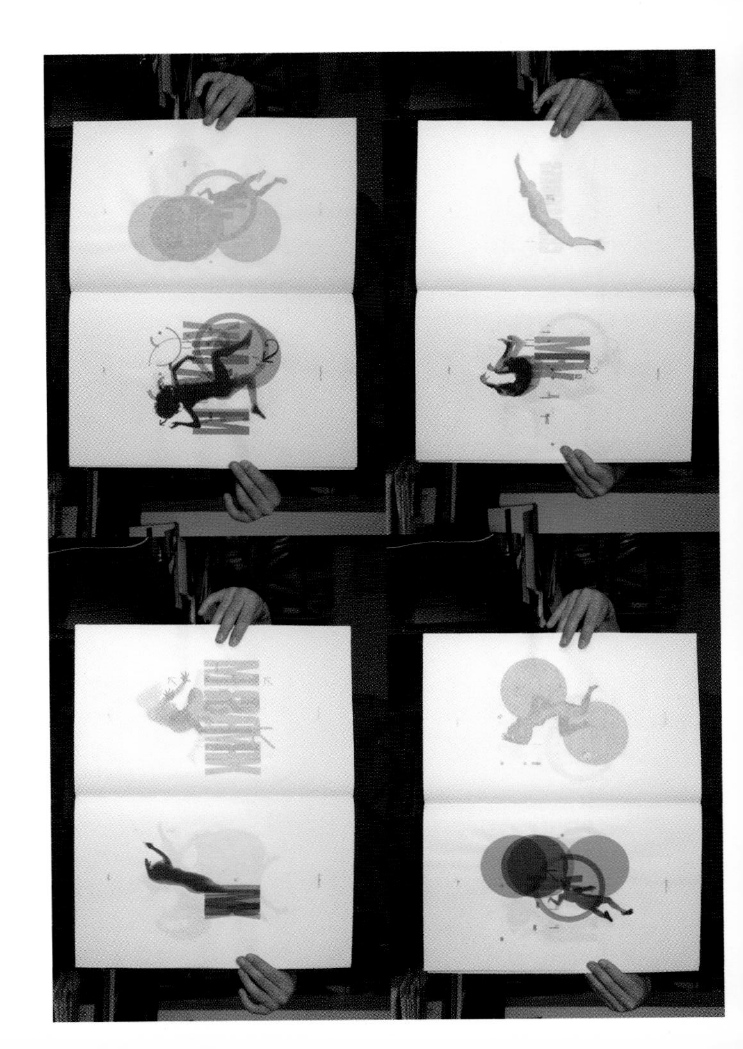

PAGES 34 À 37 :
« CHUTE LIBRE »
SÉRIE DE PHOTOGRAMMES
DE CORPS
LIVRET : 30 x 40 CM
ÉDITION DE DEUX EXEMPLAIRES
2002

PAGES 34 TO 37:
["FREE FALL"]
SERIES OF BODY PHOTOGRAMS
BOOKLET: 30 x 40 CM
EDITION OF 2
2002

01
02
04
05
07
08
11
12
FEVRIER
14
PROGRAMMATION
au Bar du marché,
à La grosse mignonne
et au Bal perdu
LE BAR DU MARCHÉ
9, PLACE DU MARCHÉ, MONTREUIL
TÉL. 01 42 87 05 12
MÉTRO CROIX DE CHAVAUX
LE BAL PERDU
2, RUE CHARLES GRAINDORGE, BAGNOLET
TÉL. 01 43 62 93 37
MÉTRO GALLIÉNI / BUS 76
LA GROSSE MIGNONNE
56, RUE CARNOT, MONTREUIL
TÉL. 01 42 87 54 51
MÉTRO CROIX DE CHAVAUX
15
18
21
22
29

DIMANCHE **01**

LE BAR DU MARCHÉ — 18H00
VALHERE & SOLAS
Dans une attitude rock, Valhère, auteur-compositeur et interprète, joue des mots… des mots goûteux, souvent organiques.
guitare / voix
Solas, un univers Rock indé-sale et chansons acoustiques populaires.
formation rock

LUNDI **02**

MARDI **03**

MERCREDI **04**

LA GROSSE MIGNONNE — 21H00
MAONA KWARTËT
4 musiciens, 4 voix, 4 parcours…
Nourris de voyages, ils empruntent à différents styles (manouche, tzigane, flamenco, cubain) et élaborent leurs propres compositions.
De par leurs aventures parallèles dans le spectacle vivant, ils laissent toujours une place à l'improvisation, à l'imprévu.
violon / flûte / guitare / contrebasse / voix

JEUDI **05**

VENDREDI **06**

SAMEDI **07**

LE BAL PERDU
PREMIÈRES RENCONTRES SONIQUES
— 18H00
les Frères Williams sont deux véritables frères et s'appellent véritablement Williams. Leur goût pour un rock'n'roll électrique et éclectique fait d'arpèges délicats et de dissonances hypnotiques renvoient au Velvet ou à Sonic Youth.
Patrock distille des paroles cruelles et salvatrices.
Franz Erich, moitié du duo électro-dub Williams Traffic, sature ses guitares envoûtantes…
Folk / punk / électro
— 20H00
Absinthe (provisoire)
Sur de longues compositions instrumentales, entre mélancolies introspectives et furie sonore, la musique de ce quintet montpelliérain – premier album éponyme enregistré à Chicago (Hydrophonics-Chronomac) – tend à explorer d'autres univers préservant ainsi le goût du risque et de la surprise.
Post Rock

DIMANCHE **08**

LE BAR DU MARCHÉ — 18H00
PI TRACK
Quartet rock français énergique et mélodique.
formation rock

LUNDI **09**

MARDI **10**

LE BAR DU MARCHÉ
9, PLACE DU MARCHÉ, MONTREUIL
TÉL. 01 42 87 05 12
MÉTRO CROIX DE CHAVAUX

LE BAL PERDU
2, RUE CHARLES GRAINDORGE, BAGNOLET
TÉL. 01 43 62 93 37
MÉTRO GALLIÉNI / BUS 76

LA GROSSE MIGNONNE
56, RUE CARNOT, MONTREUIL
TÉL. 01 42 87 54 51
MÉTRO CROIX DE CHAVAUX

MERCREDI **11**

LA GROSSE MIGNONNE — 21H00
VALHERE
Dans une attitude rock, Valhère, auteur-compositeur et interprète, nous fera partager sa chanson…enragée…
guitare / voix

JEUDI **12**

VENDREDI **13**

SAMEDI **14**

LE BAL PERDU — 20H00
LES ONGLES NOIRS
Chanson et sale musette, entre théâtre de comptoir et chanson énervée, trois énergumènes se démènent pour ne pas vous laisser sur le carreau.
accordéon / contrebasse / guitare

DIMANCHE **15**

LE BAR DU MARCHÉ — 20H00
TÉLÉ BOCAL & COUSCOUS GRATUIT

LUNDI **16**

MARDI **17**

MERCREDI **18**

LA GROSSE MIGNONNE — 21H00
ROMUALD VALIN
Ce jeune chanteur normand renoue avec la tradition de la chanson à texte, tout en lui insufflant une poésie imprégnée par notre époque.
guitare / voix / percussion

JEUDI **19**

VENDREDI **20**

SAMEDI **21**

WEEK-END ÉLECTRO JAZZ
—
LE BAL PERDU — 20H00
B.L.A.S.T
Dessine un jazz hybride en confondant instruments acoustiques et groove électronique.
trompette / clavier / contrebasse

DIMANCHE **22**

WEEK-END ÉLECTRO JAZZ
—
LE BAR DU MARCHÉ — 18H00
MIX CITY
Un trio capable de mettre en avant un orgue aux humeurs seventies tout en restant profondément novateur dans l'ajout d'expérimentations rock ou plus électroniques. Des compositions truculentes et dansantes rendant leur prestation scénique spectaculaire.
basse / contrebasse / batterie / claviers
—
LE BAL PERDU
— 20H00
TÉLÉ BOCAL & COUSCOUS GRATUIT
— 22H30
LA CIE ACIDU présente
Le Coupable est l'assassin, théâtre interactif
Une victime hagarde, dont les cris trouent la nuit, deux détectives assoiffés sur les dents…
Enquête de Sherloc Du & du docteur Veston

LUNDI **23**

MARDI **24**

MERCREDI **25**

LA GROSSE MIGNONNE — 21H00
Les bordelais à Paris…
MILOS & LES POLISSONS
Milos nous propose des compositions qui oscillent entre ballade mélancolique et rock acoustique. Les Polissons se donnent à la musique pleinement en créant par le biais de standards revisités une chanson jazzy empreinte de poésie, de rythme et de bonheur.
guitare / voix

JEUDI **26**

VENDREDI **27**

SAMEDI **28**

LE BAL PERDU — 20H00
ARBOL
Une violoniste classique partie explorer les sons tziganes en Roumanie…
Un guitariste jazz initié au flamenco "puro" par les gitans d'Andalousie…
De cette fusion naît un son unique, un chant qui parle à la terre et à l'âme.
guitare / voix / violon

DIMANCHE **29**

LE BAR DU MARCHÉ — 18H00
Un petit tour et s'en retournent vers Bordeaux…
LES POLISSONS
Ils se donnent à la musique pleinement en créant par le biais de standards revisités une chanson jazzy empreinte de poésie, de rythme et de bonheur.
guitare / voix

40 x 60 CM, 15 x 20 CM FOLDED
PRINTED ON BOTH SIDES
PHOTOGRAPHS: BERTRAND DESPREZ
2003-2004

PAGES 38 TO 45:
PIN-UP PROGRAMME POSTERS FOR THE BAR DU MARCHÉ IN MONTREUIL
EVERY MONTH, THE DIARY OF GIGS IS ANNOUNCED BY THE PORTRAIT OF A REGULAR. A "FAMILY ALBUM" FOR A VENUE THAT SUSTAINS NEIGHBOURHOOD LIFE.

40 x 60 CM, FORMAT PLIÉ : 15 x 20 CM
IMPRESSION RECTO-VERSO
PHOTOGRAPHIES : BERTRAND DESPREZ
2003-2004

PAGES 38 À 45 :
AFFICHES PROGRAMMES « PIN-UP » POUR LE *BAR DU MARCHÉ* À MONTREUIL
CHAQUE MOIS, LE CALENDRIER DES CONCERTS EST ANNONCÉ PAR LE PORTRAIT D'UN HABITUÉ.
UN « ALBUM DE FAMILLE » POUR UN LIEU QUI ENTRETIENT UNE VIE DE QUARTIER

03
novembre
decembre
11
26

08
09
PROGRAMMATION
AU BAL PERDU
AU BAR DU MARCHÉ
JANVIER
15
16
CHARGE
50 KG
30

03
06
07
10
MARS
PROGRAMMATION
AU BAL PERDU
AU BAR DU MARCHÉ
À LA GROSSE MIGNONNE
17
21
27
28

03
07
11
17
AVRIL
PROGRAMMATION
AU BAL PERDU
AU BAR DU MARCHÉ
À LA GROSSE MIGNONNE

01
08
12
MAI
15
22
26
02
05
06
JUIN
09
16
19
20
21
27

02
03
04
09
16
JUILLET
AOUT
28

04
SEPTEMBRE
OCTOBRE
02
09
16
17

CABINET DE CURIOSITÉ
AFFICHE PROGRAMME SPÉCIALE
POUR LE *BAR DU MARCHÉ* À MONTREUIL
30 x 40 CM, FORMAT PLIÉ : 10 x 15 CM
IMPRESSION RECTO-VERSO
PHOTOGRAPHIE : LA BONNE MERVEILLE
2004

CABINET DE CURIOSITÉ
SPECIAL PROGRAMME POSTER FOR
THE BAR DU MARCHÉ IN MONTREUIL
30 x 40 CM, 10 x 15 CM FOLDED
PRINTED ON BOTH SIDES
PHOTOGRAPH : LA BONNE MERVEILLE
2004

AFFICHE PROGRAMME POUR
LE *BAR DU MARCHÉ* À MONTREUIL
NOUVELLE SÉRIE JOUANT AVEC
LA TRANSPARENCE DU PAPIER
40 x 60 CM, FORMAT PLIÉ : 15 x 20 CM
IMPRESSION RECTO-VERSO
PHOTOGRAPHIE : BERTRAND DESPREZ
2004

PROGRAMME POSTER FOR THE
BAR DU MARCHÉ IN MONTREUIL
NEW SERIES PLAYING ON PAPER'S
TRANSPARENCY
40 x 60 CM, 15 x 20 CM FOLDED
PRINTED ON BOTH SIDES
PHOTOGRAPH: BERTRAND DESPREZ
2004

UNE AFFICHE « ROCK 'N' ROLL »

– Tapez « rock 'n' roll » dans Google Image.

– Vous tomberez sur l'image de *Rock 'n' Roll*, un cheval de course,
et sur celle d'une Américaine en pleine démonstration de karaoké rock 'n' roll.

– Imprimez deux affiches au lieu d'une pour ne pas avoir à choisir entre ces deux images.

– Enfin, masquez les visages (excepté celui du cheval) pour éviter au festival un procès dont il ne se relèverait pas.

A "ROCK 'N' ROLL" POSTER

– Type "rock 'n' roll" in Google Images.

– Come to the racing-horse image of "rock 'n' roll" and the image of an American woman demonstrating "rock 'n' roll" karaoke.

– Print two posters instead of one, so you don't have to choose.

– Finally, cover the faces (except the horse's) to save the festival from a fatal lawsuit.

AFFICHE-PROGRAMME POUR
LE FESTIVAL PLURIDISCIPLINAIRE
« WE WANT ROCK 'N' ROLL » ORGANISÉ
PAR LELABO
30 x 40 CM, FORMAT PLIÉ : 10 x 15 CM
IMPRESSION RECTO-VERSO
2007

PROGRAMME POSTER FOR
THE "WE WANT ROCK 'N' ROLL"
MULTI-DISCIPLINARY FESTIVAL
STAGED BY LELABO
30 x 40 CM, 10 x 15 CM FOLDED
PRINTED ON BOTH SIDES
2007

LELABO PRÉSENTE

DU 25 AU 29 AVRIL 2007

WE WANT ROCK'N'ROLL

'N'

WE WANT ROCK'N'ROLL

Sans rock'n'roll, pas de rêves. Sans rêves, pas de courage. Sans courage, pas d'actes. Wim Wenders

WE WANT ROCK'N'ROLL ! : cette déclaration, qui s'énonce avec la force de l'évidence et la puissance du désir, est le titre d'un nouveau festival parisien. Cette première édition réunit des personnalités issues de multiples horizons (danse, performance, littérature, musique contemporaine, théâtre...), toutes profondément nourries par l'énergie du rock, au point d'en faire l'un des moteurs de leur démarche artistique.
Le temps de cinq soirées à géométrie variable, une vingtaine d'artistes témoigneront en actes de leurs affinités électriques avec le rock.

Le rock libère des forces créatrices et des énergies scéniques qui répondent à une nécessité de raconter le monde autrement, en esquissant d'autres réalités et en formulant d'autres rêves.
En avril 2007 plus que jamais : WE WANT ROCK'N'ROLL !

OHH WE WANT

MERCREDI 25 AVRIL | 19H30 | LELABO

Rock & littérature | 10 euros

DOUGLAS COWIE
Owen Noone & Marauder, *lecture*
Lecture à 3 voix et 2 guitares en présence de l'auteur, Douglas Cowie. Tension du récit et vivacité de l'écriture transfigurent cette descente grisante dans l'univers impitoyable du rock'n'roll.

PHILIPPE AZOURY
Rock'n'roll rarities, *séance d'écoute*
Philippe Azoury signera la bande-son de cette deuxième partie de soirée en exhumant des raretés de l'histoire du rock.

JEUDI 26 AVRIL | 19H30 | LELABO

Rock, littérature & performance | 10 euros

FRANÇOIS BÉGAUDEAU
Un démocrate, Mick Jagger 1960-1969, *lecture*
"La vérité, c'est que Mick Jagger est né en 1960 et mort en 1969. Et je dirai comment." Une vision du Jagger des fulgurantes sixties qui contorsionne la biographie officielle pour raviver la puissance vitale du rock.

FANNY DE CHAILLÉ
Gonzo conférence, *conférence performative*
Fanny de Chaillé court-circuite l'exercice de la conférence en se plaçant sous le patronage de Lester Bangs, symbole absolu de la liberté d'expression et de la contre-culture.

JEAN-FRANÇOIS PAUVROS & CHARLES PENNEQUIN
Duo guitar / poetry #1, *performance*
C'est en live que le poète-performer Charles Pennequin donne pleinement vie à son écriture, à l'image de ses collaborations volcaniques avec Jean-François Pauvros, guitariste jusqu'au-boutiste et compagnon de jeu de Makoto Kawabata, Arto Lindsay, Keiji Haino et Sonic Youth.

VENDREDI 27 AVRIL | 19H30 | LELABO

Rock & performance | 10 euros

SYLVAIN PRUNENEC & FRED BIGOT
Effroi électrique, *performance*
À nouveau réunis, le danseur-chorégraphe Sylvain Prunenec et le musicien Fred Bigot (aka Electronicat) puisent dans le mouvement punk-rock la matière d'une nouvelle complicité... orageuse !

MARK LEWIS TOMPKINS
Kings and queens, *performance musicale*
Mark Tompkins a toujours pris ses distances avec les bonnes manières artistiques pour créer les conditions de véritables aventures scéniques. La contribution du chorégraphe franco-américain prendra la forme d'un concert karaoké des chansons de son groupe Mark Lewis and the Standards.

SAMEDI 28 AVRIL | 19H30 | NOUVEAU CASINO

Concert & performance | 14 euros en prévente / 17 euros sur place

DURACELL
Avec sa batterie rétro-futuriste, Duracell s'emploie à déstructurer allègrement des thèmes de jeux vidéo époque Atari ou Commodore 64. Aussi puissants qu'épileptiques, ses concerts/performances rappellent de façon jubilatoire qu'une batterie c'est fait pour cogner fort !

BEE DEE KAY AND THE ROLLER COASTER
Quand on n'est pas originaire du Texas (mais du centre de la France) et qu'on monte un groupe de rock'n'roll qui a la fantaisie de s'attaquer à la fois au garage, au surf, au punk, au rythm'n'blues, au ska et aux Cramps, il vaut mieux ne pas faire dans la demi-mesure.

RAT:ATT:AGG
Guitares tendues à l'extrême, son débraillé, fonds de roulement à la Kaiser Chiefs, le groupe anglais, rescapé de Test Icicles, s'attaque à la scène avec l'énergie du "tout-est-devant-nous-et-le-monde-nous-appartient".

DIMANCHE 29 AVRIL | 17H30 | AGNÈS B. ACTIVITÉS!!

Rock, performance & concert | 10 euros

MATHILDE MONNIER
8mn, *performance chorégraphique*
Avec 8mn, Mathilde Monnier réalise une pièce courte et hypnotique qui entremêle vidéo, musique et danse selon une logique de la compression et de l'expansion, à la manière de ces fleurs de papier japonaises qui se défroissent et reprennent leur volume quand on les plonge dans l'eau.

TOM PAUWELS
Trash TV Trance *de Fausto Romitelli*
& Go Guitars *de Lois V. Vierk*
2 compositions pour guitare électrique
Membre du prestigieux ensemble de musique contemporaine Ictus, Tom Pauwels empoigne à bras le corps deux pièces abrasives qui explorent les ressources sonores de la guitare électrique.

ANDY MOOR & ANNE-JAMES CHATON
Duo guitar / poetry #2, *performance*
Anne-James Chaton fait partie de ces auteurs que l'écriture engage au-delà de l'espace du livre, comme en témoigne cet excitant projet engagé depuis quelques années avec Andy Moor, guitariste du groupe culte néerlandais The Ex.

JORIS LACOSTE & STÉPHANIE BÉGHAIN
5 ou 6 lyriques, *performance*
"Parole performante, musique minimum, déplacement des repères, exposition de sentiments..." : ceci n'est pas un concert. Joris Lacoste et Stéphanie Béghain sondent le devenir-rock de la représentation théâtrale en orchestrant une performance haletante.

Plus de détails et version anglaise sur :
WWW.WEWANTROCKNROLL.COM

LIEUX & TARIFS

LE NOUVEAU CASINO
109 rue Oberkampf Paris 11 ème
Métro : Parmentier (ligne 3), Ménilmontant (ligne 2)
Renseignements : 01 43 57 57 40
www.nouveaucasino.net
Ouverture des portes et de la billetterie à 19h.
Paf : 14 euros en prévente, (+ frais, Fnac/Virgin/Digitick) & 17 euros sur place

AGNÈS B. ACTIVITÉS!!
17 rue Dieu Paris 10 ème
Métro : Jacques Bonsergent (ligne 5)
www.agnesb.com
Jauge limitée
Réservation au 01 55 26 00 11
Ouverture des portes et de la billetterie à 17h / Paf : 10 euros

LELABO
29 rue des Récollets Paris 10 ème
Métro : Gare de l'Est (lignes 4, 5 et 7)
contact@lelabo.asso.fr
www.wewantrocknroll.com
www.myspace.com/wewantrock
Jauge limitée
Réservation au 01 55 26 00 11
Ouverture des portes et de la billetterie à 19h.
Un bar servira une restauration légère et des boissons avant et après les performances.
Paf : 10 euros

WE WANT ROCK'N'ROLL
LE PASS : 16 EUROS
valable pour deux soirées au choix à lelabo et agnès b. activités!!

île de France

inrockuptibles

agnès b.

Conception Graphique : La Bonne Merveille | Impression : Expression II | Ne pas jeter sur la voie publique | Licence entrepreneur de spectacles N° [illegible]

CARTOGRAPHIER UNE PROGRAMMATION CULTURELLE

luxv, un nouveau territoire dédié à l'image contemporaine.
Deux cartes grand format (120 x 180 cm) traduisent, dans un langage géographique imaginaire, l'ensemble des événements (festival, expositions…) qui vont se succéder sur l'année 2007 au luxv. Tous les documents de communication sont des morceaux de la carte, le public peut ainsi reconstituer l'ensemble du territoire au fil de sa collecte de documents.

MAPPING THE CULTURAL CALENDAR

luxv, a new space dedicated to the contemporary image.
Two large (120 x 180 cm) maps, using an imaginary geographic language, render all the events (a festival, exhibitions, etc.) held in 2007 at luxv. All the communication documents are pieces of the maps; the public can reconstruct the whole territory from one document to another.

image de
lux®, scène
nationale
de valence,
saison 2007,
cartographie
du nouveau
territoire.

lux®
lux®
lux®
lux®
lux®
lux®
F
F

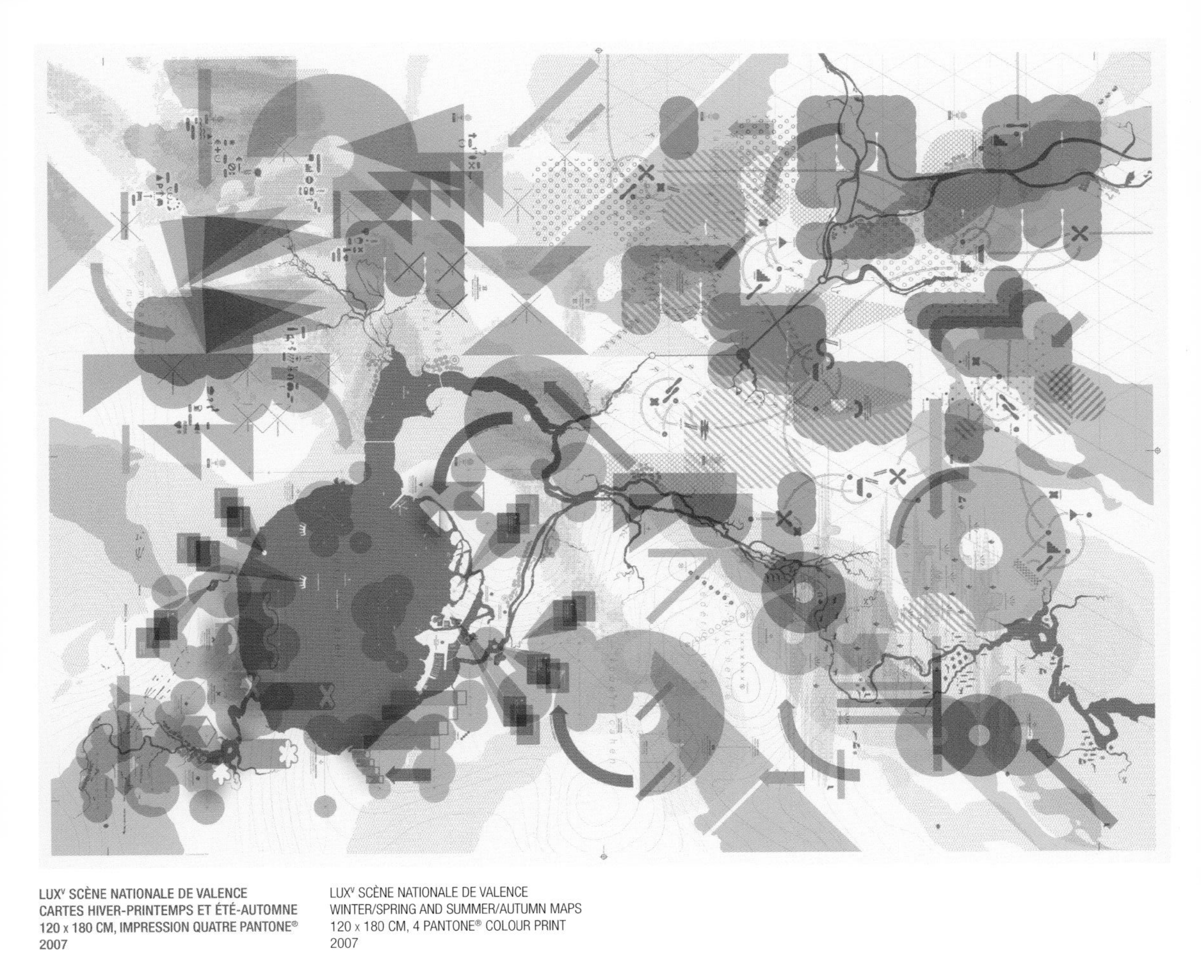

LUX[V] SCÈNE NATIONALE DE VALENCE
CARTES HIVER-PRINTEMPS ET ÉTÉ-AUTOMNE
120 x 180 CM, IMPRESSION QUATRE PANTONE®
2007

LUX[V] SCÈNE NATIONALE DE VALENCE
WINTER/SPRING AND SUMMER/AUTUMN MAPS
120 x 180 CM, 4 PANTONE® COLOUR PRINT
2007

lux
Scène nationale de Valence
catalogue de lux 2007
onedotzero, festival international de films numériques
18-27 janvier
www.lux-valence.com
www.onedotzero.com
36, boulevard du Général de Gaulle, 26000 Valence
Tél. 04 75 82 44 10 / www.lux-valence.com
cinémas arméniens
21-31 mars
et influences
02-13 février
rencontres de l'éducation à l'image en rhône-alpes: flux
29-30 mai 2007
ddd, exposition de design graphique
28 mars 16 avril
journal de lux 2007
Scène nationale de Valence
catalogue de lux 2007

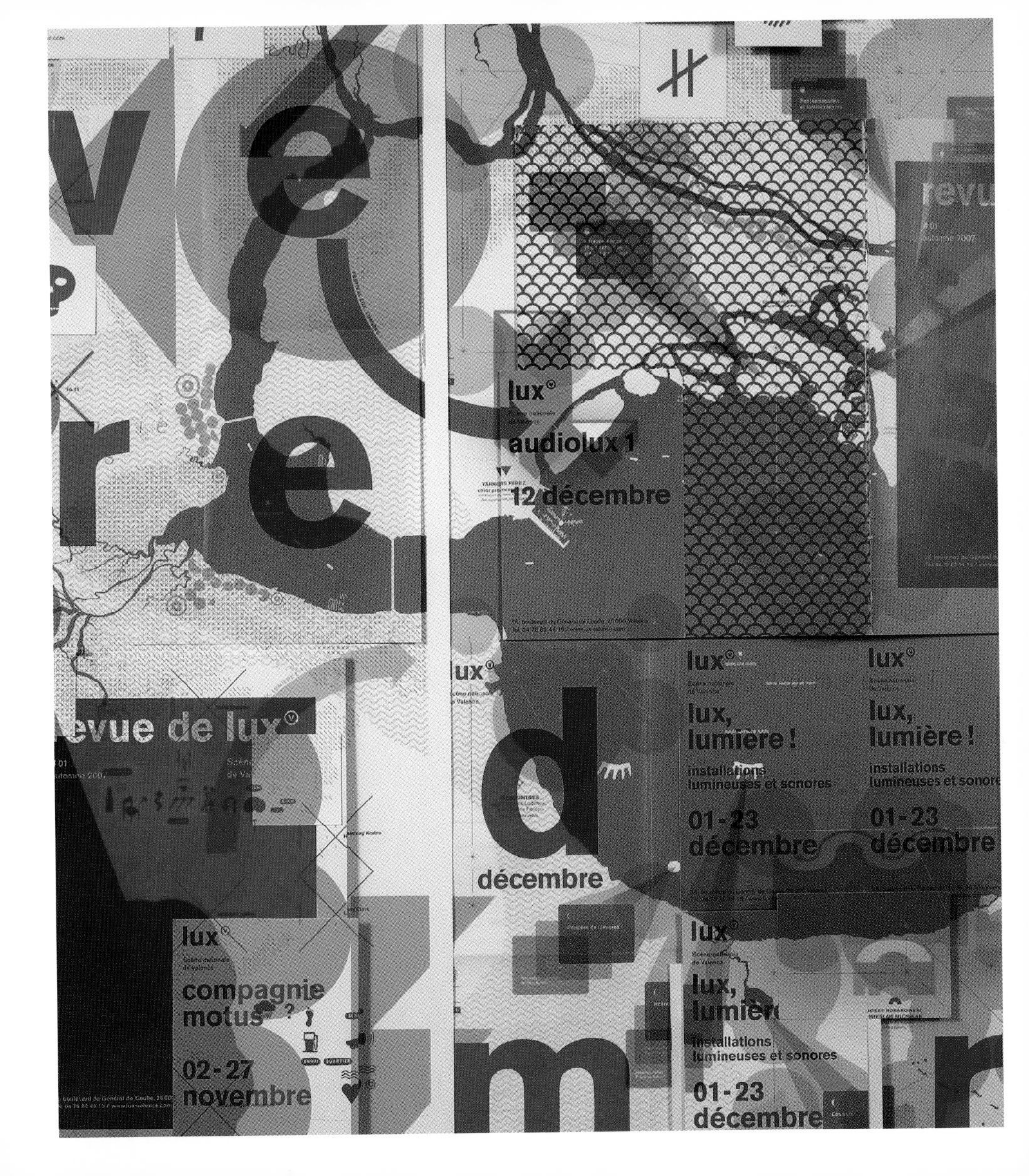

revue de lux
autonne 2007
lux
Scène nationale de Valence
audiolux 1
12 décembre
lux
lux, lumière !
installations lumineuses et sonores
01 - 23 décembre
lux
lux, lumière !
installations lumineuses et sonores
01 - 23 décembre
décembre
lux
Scène nationale de Valence
compagnie motus
02 - 27 novembre
lux
lux, lumière
installations lumineuses et sonores
01 - 23 décembre

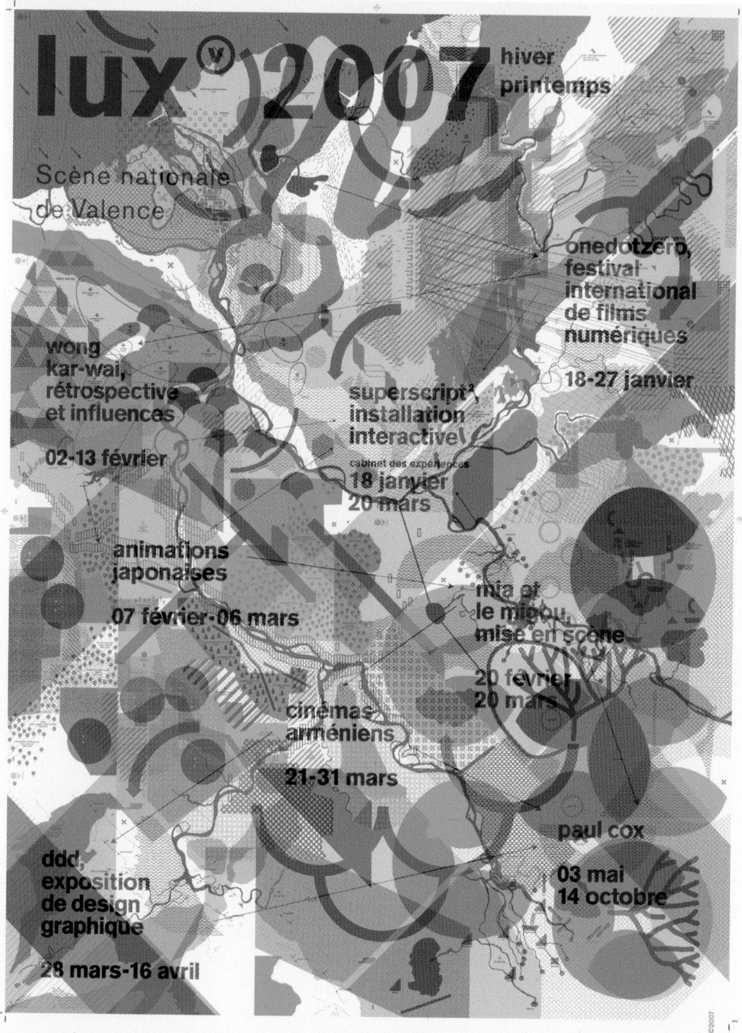
lux 2007
hiver
printemps
Scène nationale
de Valence
onedotzero,
festival
international
de films
numériques
18-27 janvier
wong
kar-wai,
rétrospective
et influences
02-13 février
superscript²,
installation
interactive
cabinet des expériences
18 janvier
20 mars
animations
japonaises
07 février-06 mars
cinémas
arméniens
21-31 mars
paul cox
03 mai
14 octobre
ddd,
exposition
de design
graphique
28 mars-16 avril
36, boulevard du Général de Gaulle, 26 000 Valence
Tél. 04 75 82 44 10 / www.lux-valence.com
la bonne merveille ©2007

LUX^v
PAGE DE GAUCHE : AFFICHE
DE SAISON, 120 x 180 CM
CI-DESSUS, EN HAUT À GAUCHE :
COUVERTURES DE BROCHURE,
10 x 15 CM
CI-DESSUS, EN HAUT À DROITE :
CARTES POSTALES, 10 x 15 CM
CI-DESSUS, EN BAS : CARTES
ADHÉRENT, 7 x 10 CM
IMPRESSION CINQ PANTONE®
LOGO : STUDIO MAJI

LUX^v
LEFT PAGE: SEASON POSTER,
120 x 180 CM,
ABOVE, TOP LEFT: BROCHURE COVERS,
10 x 15 CM
ABOVE, TOP RIGHT: POSTCARDS,
10 x 15 CM
ABOVE, BOTTOM: MEMBER'S CARDS,
7 x 10 CM
5 PANTONE® COLOUR PRINT
LOGO: STUDIO MAJI

atelier la bonne merveille, image de lux®

[illegible]

image de lux®, scène nationale de valence, saison 2007, cartographie du nouveau territoire.

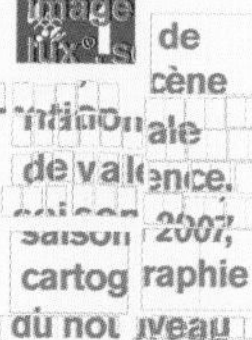

22

23

[illegible]

calendrier de lux

[illegible]

26

27

LUX
COUVERTURE ET PAGES INTÉRIEURES DU *JOURNAL DE LUX* N°1
29,5 x 42 CM
IMPRESSION CINQ ET DEUX PANTONE®

LUX
COVER AND INSIDE PAGES OF THE *JOURNAL DE LUX* ISSUE 1
29.5 x 42 CM
5 AND 2 PANTONE® COLOUR PRINTS

LUX[v]
JEU DE CARTE MEMORI DE LUX[v]
ÉDITÉ À 300 EXEMPLAIRES

LUX[v]
MEMORI DE LUX[v] CARD GAME
EDITION OF 300

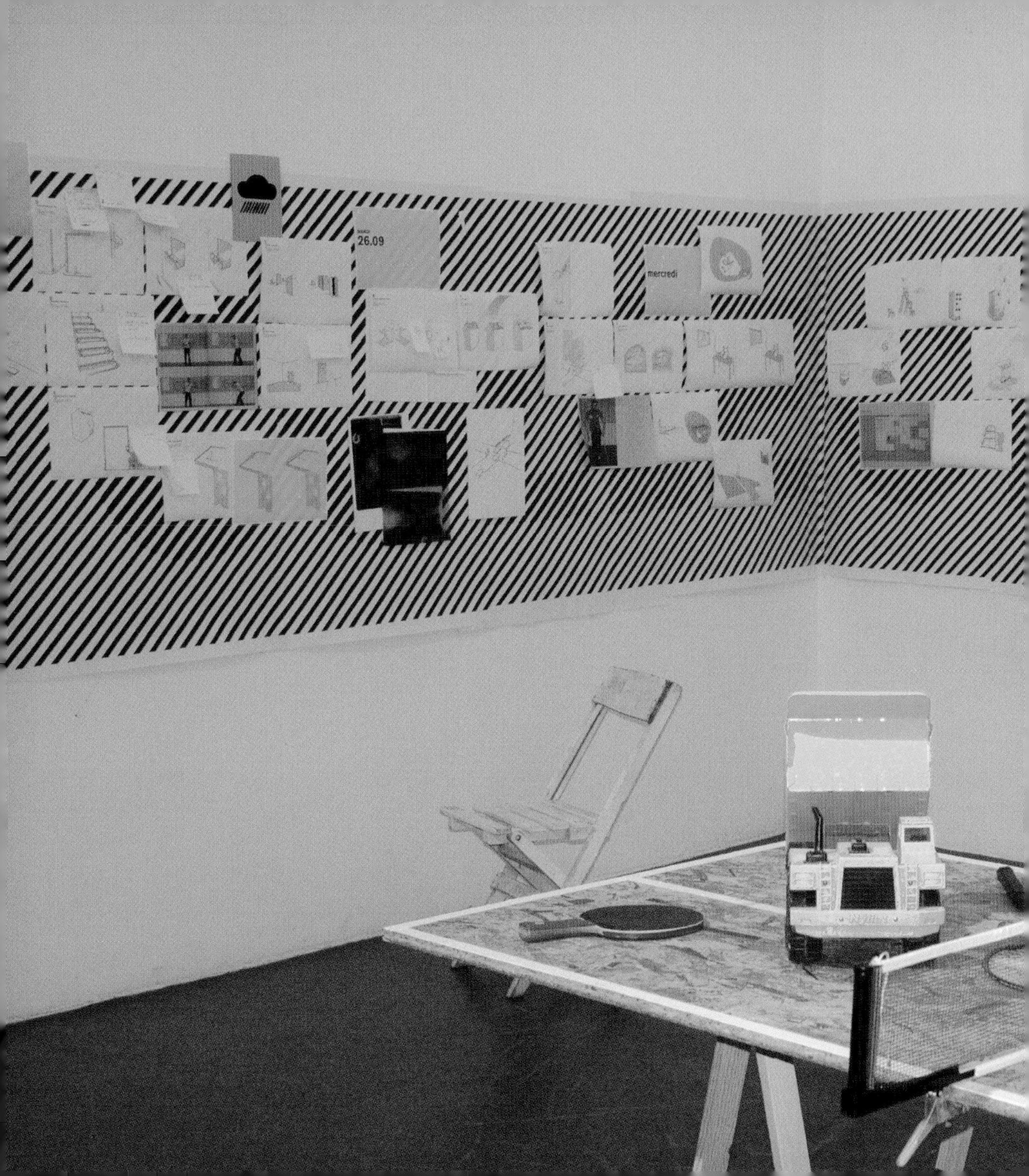
26.09
mercredi

LIV(R)E À VENISE

Dix architectes-designers, un illustrateur, un graphiste et un cuisinier dans le pavillon français de la biennale d'architecture de Venise rendu habitable par Patrick Bouchain et le collectif Exyst. À l'initiative d'Encore Heureux, un *workshop* d'une semaine, un catalogue « d'architectures introuvables », une chaîne de conception-production : de l'idée à sa mise en forme graphique, de la collection de dessins à l'édition d'un livre scénarisé et fabriqué sur place à vingt-cinq exemplaires.

LIVE BOOKMAKING IN VENICE

10 architect-designers, an illustrator, a graphic designer and a cook in the French pavilion at the Venice Architecture Biennale, made habitable by Patrick Bouchain and the Exyst collective. The Encore Heureux collective devised a week-long workshop, a "catalogue of unfindable architecture", and a design and production line: from idea to graphic design, from a collection of drawings to the publication of a book that was scripted and made (25 copies) on-site.

PAGES SUIVANTES :
COLLECTION
IMPRESSION LASER NOIR ET BLANC
SUR DIFFÉRENTS PAPIERS, RELIURE
JAPONAISE, ÉDITÉ À VINGT-CINQ
EXEMPLAIRES
ILLUSTRATIONS : BENOIT BONNEMAISON-FITTE
15 x 21 CM
2006

NEXT PAGES:
COLLECTION
B&W LASER PRINTED ON VARIOUS PAPERS,
JAPANESE STAB BINDING, EDITION OF 25
ILLUSTRATIONS: BENOIT BONNEMAISON-FITTE
15 x 21 CM
2006

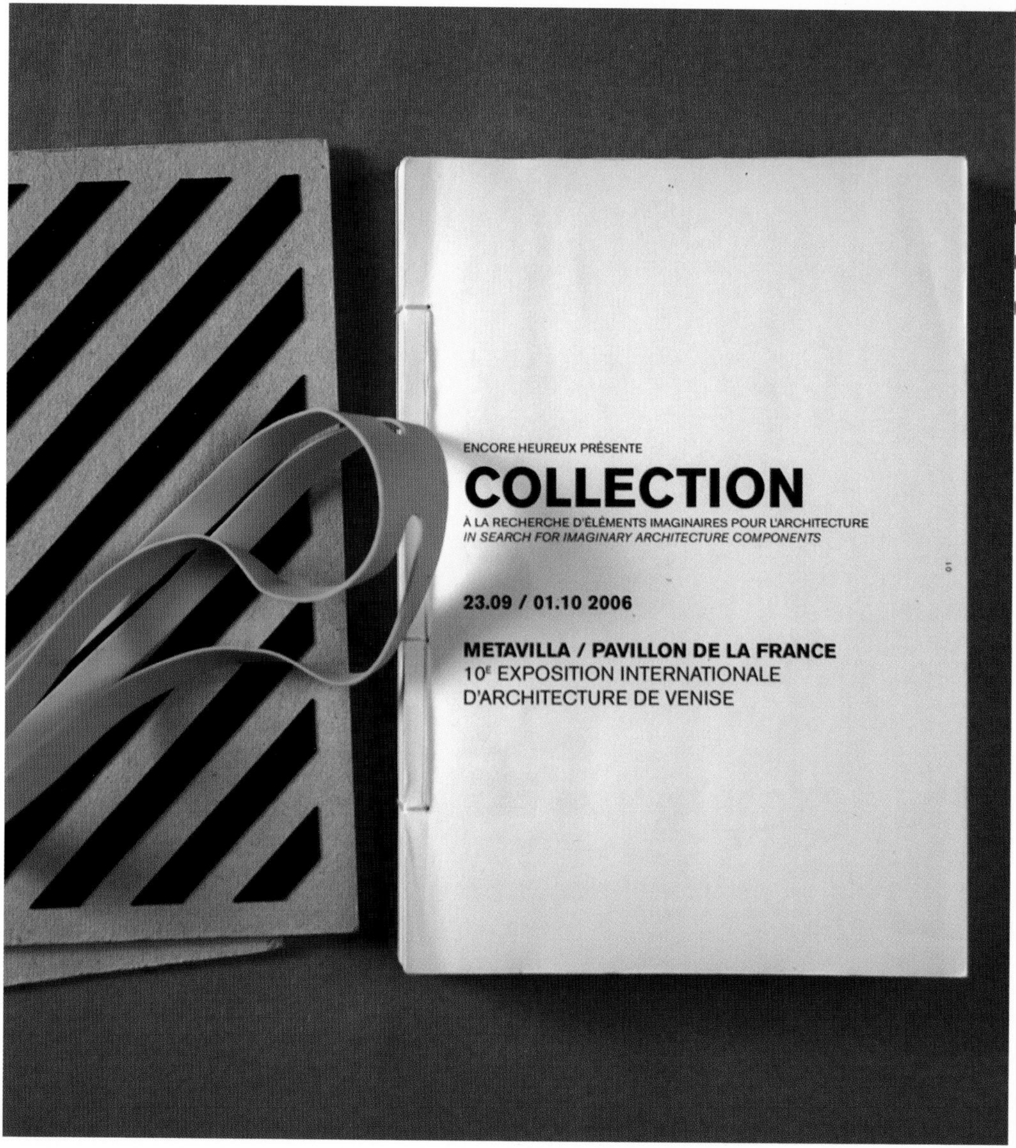

ENCORE HEUREUX PRÉSENTE

COLLECTION

À LA RECHERCHE D'ÉLÉMENTS IMAGINAIRES POUR L'ARCHITECTURE
IN SEARCH FOR IMAGINARY ARCHITECTURE COMPONENTS

23.09 / 01.10 2006

METAVILLA / PAVILLON DE LA FRANCE
10ᴱ EXPOSITION INTERNATIONALE
D'ARCHITECTURE DE VENISE

PRÉAMBULE
Économiser du carburant

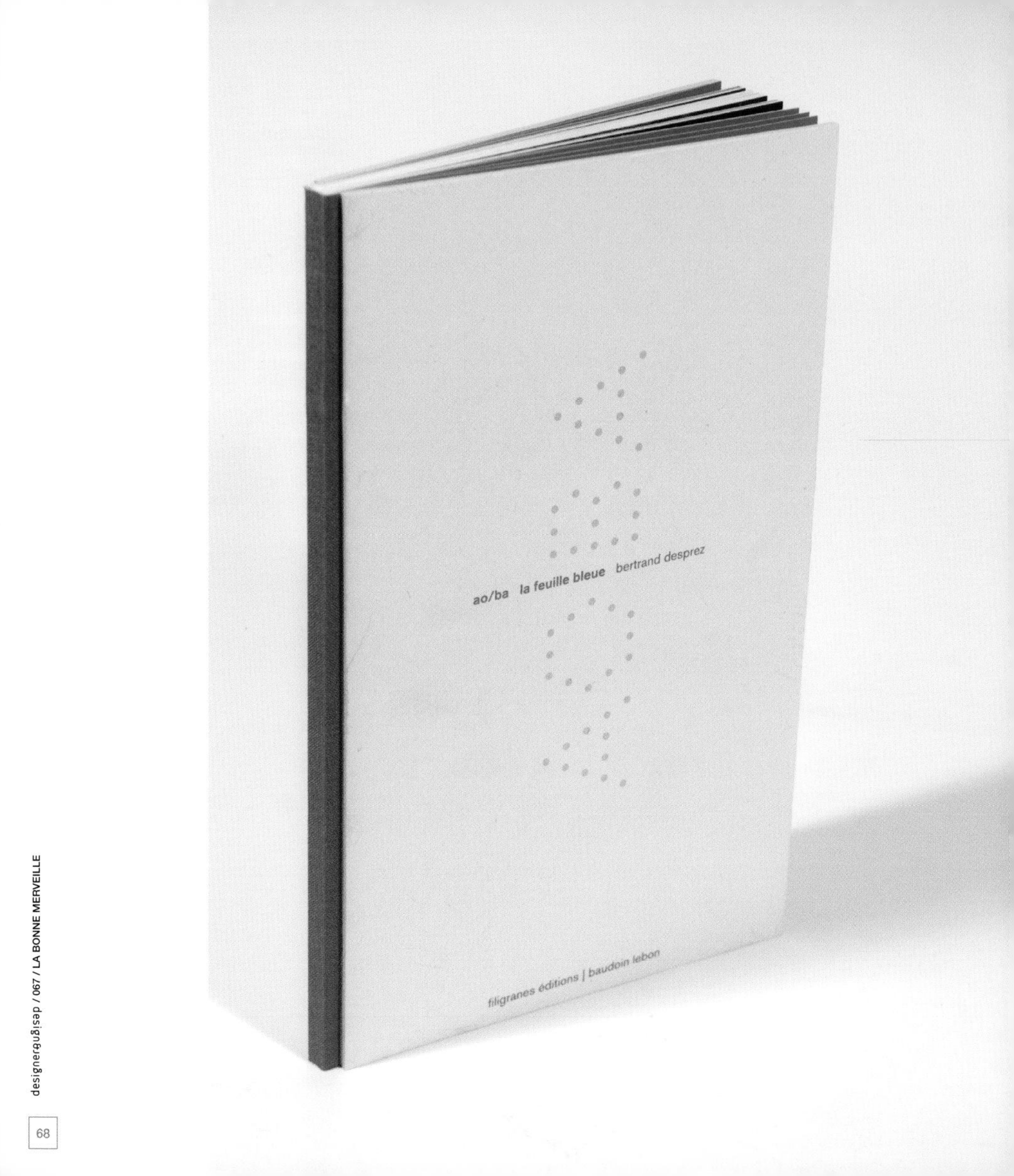
ao/ba la feuille bleue bertrand desprez
filigranes éditions | baudoin lebon

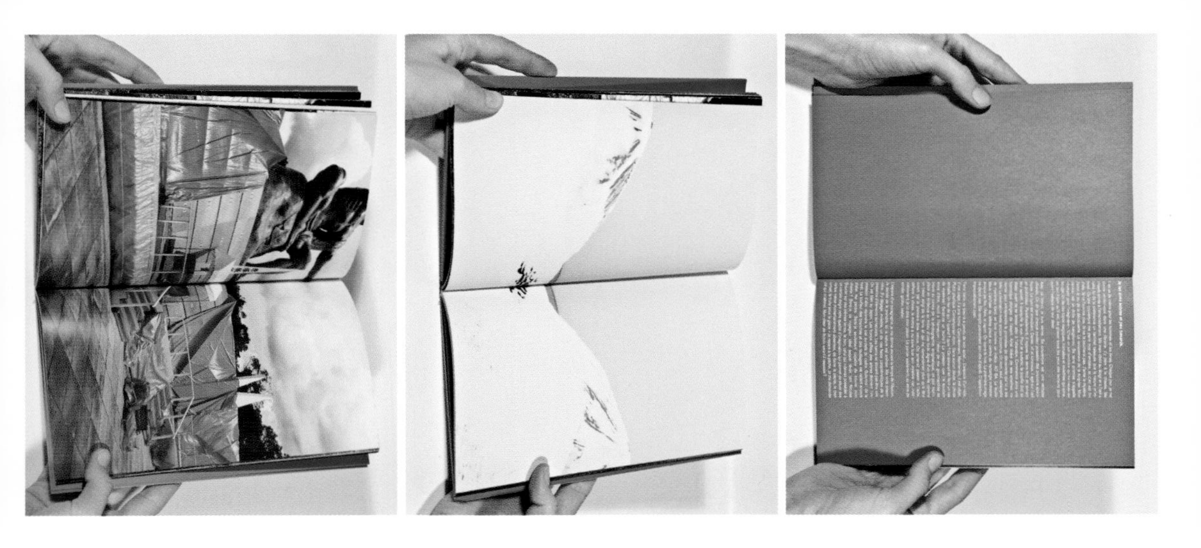

AO/BA
LIVRE DE PHOTOGRAPHIES
DE BERTRAND DESPREZ
ÉDITIONS FILIGRANE
15 x 24 CM
2004

AO/BA
BOOK OF PHOTOS
BY BERTRAND DESPREZ
ÉDITIONS FILIGRANE
15 x 24 CM
2004

de l'air
MARSEILLE, PARI PERDU
REPORTAGES D'UN MONDE À L'AUTRE
HARDEURS AU TRAVAIL
de l'air
REPORTAGES D'UN MONDE À L'AUTRE
BELGRADE
REYKJAVIK
KABOUL
PARIS
PÉKIN
VOYAGES AU BOUT DE LA NUIT
de l'air
REPORTAGES D'UN MONDE À L'AUTRE
C'ÉTAIT PALACE!
de l'air
MISE À NU
de l'air
REPORTAGES D'UN MONDE À L'AUTRE
de l'air
REPORTAGES D'UN MONDE À L'AUTRE
BONS VOYAGES
de l'air
REPORTAGES D'UN MONDE À L'AUTRE
AIR

PAGES 70 À 73 :
DE L'AIR
MAGAZINE DE PHOTOREPORTAGE
ÉDITIONS MÉDINA
26 x 32 CM
2002-2005

PAGES 70 TO 73:
DE L'AIR
PHOTO REPORT MAGAZINE
ÉDITIONS MÉDINA
26 x 32 CM
2002-2005

VRAIE
BLONDE
51
24
12
PREMIER
PETARD

LES
QUATRE
SAISONS
SPLIT
DATING
PÉRIPH
TASIA
GABRIELA
FARAH...

RÉFÉREN-
CEMENT [Placement]
R.
ni approximations ni sytématisme

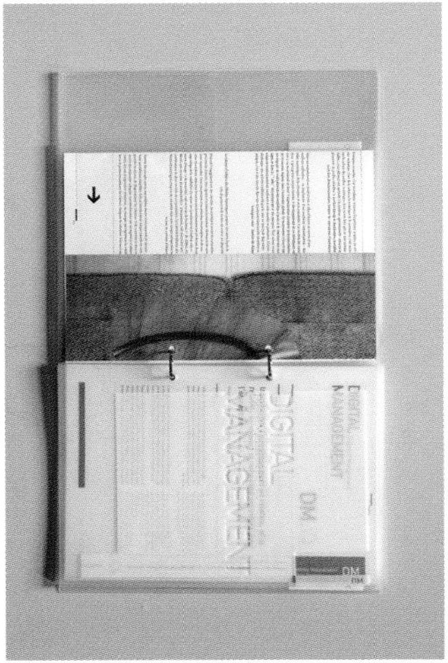

CLASSEUR DE PROMOTION
POUR L'AGENCE V2VOOVE
PHOTOGRAPHIE : L'ŒIL PUBLIC
21 x 29,7 CM
SÉRIGRAPHIE SUR PLASTIQUE
ET IMPRESSION OFFSET
2002

FOLDER PROMOTING
THE V2VOOVE AGENCY
PHOTOGRAPHY: L'ŒIL PUBLIC
21 x 29.7 CM
SCREENPRINT ON PLASTIC
AND OFFSET
2002

1
Pelléas et Mélisande
Claude Debussy, 1902.
Mise en scène et scénographie :
Robert Wilson.
© Éric Mahoudeau.
Opéra national de Paris, 1997.

2
Salomé
Richard Strauss, 1905.
Mise en scène : Luc Bondy.
Scénographie : Erich Wonder.
© Marie-Noëlle Robert.
Théâtre du Châtelet, Paris, 1997.

3
Le Château de Barbe-Bleue
Bela Bartok, 1918.
Mise en scène :
La Fura dels Baus.
Scénographie : Jaume Plensa.
© Ruth Walz. Opéra national
de Paris, 2007.

4
Katya Kabanova
Leos Janacek, 1921.
Mise en scène :
Christoph Marthaler.
Scénographie : Anna Viebrock.
© Christian Leiber.
Opéra national de Paris, 2005.

5
Erwartung
Arnold Schönberg, 1924.
Mise en scène : André Heller.
Scénographie :
Mimmo Paladino.
© Marie-Noëlle Robert.
Théâtre du Châtelet, Paris, 2002.

6
Doktor Faust
Ferruccio Busoni, 1925.
Mise en scène :
Peter Mussbach.
Scénographie : Erich Wonder.
© Ruth Walz. Staatsoper
unter den Linden, Berlin, 1999.

7
Le Nez
Dimitri Chostakovitch, 1930.
Mise en scène : Yuri Alexandrov.
Scénographie : Zinovy Margolin.
© Natacha Razina.
Théâtre Mariinski,
Saint-Pétersbourg, 2005.

8
Grandeur et Décadence
de la ville de Mahagonny
Kurt Weill, 1930.
Mise en scène : Ruth Berghaus.
Scénographie :
Hans-Joachim Schlieker.
© Roswitha Hecke.
Stuttgarter Staatsoper,
Stuttgart, 1992.

1

évolutio
g

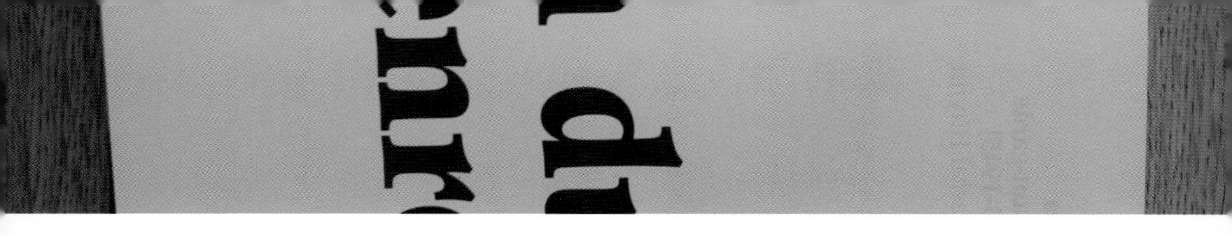

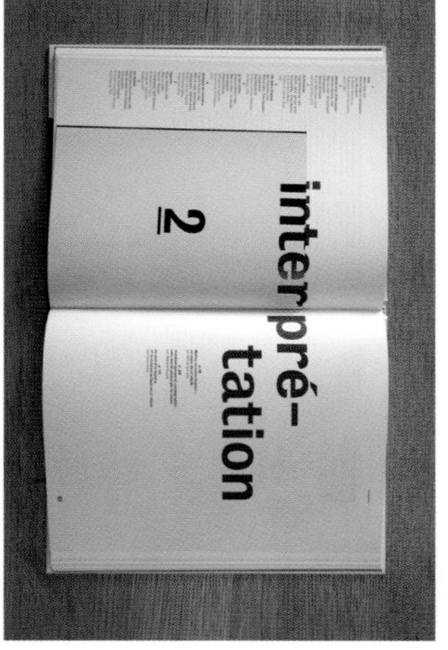

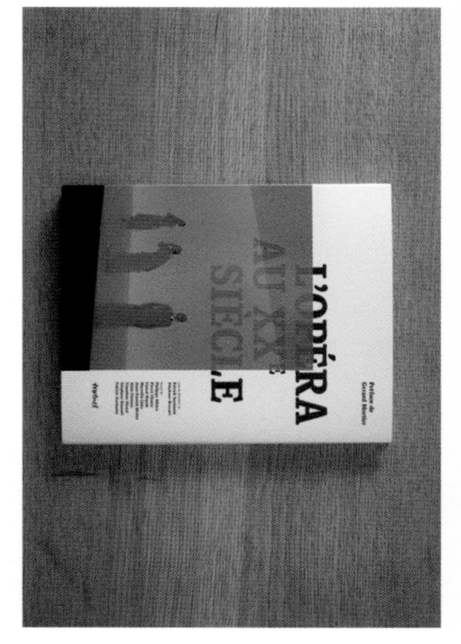

L'OPÉRA AU XXe SIÈCLE
ÉDITIONS TEXTUEL
LIVRE : 22 x 27,5 CM
CAHIERS IMAGES : 16 x 21 CM
2007

[OPERA IN THE 20TH CENTURY]
ÉDITIONS TEXTUEL
BOOK: 22 x 27.5 CM,
PICTURE QUIRES: 16 x 21 CM
2007

RADIOGRAPHIER UNE EXPOSITION

L'exposition « David Smith » au Centre Pompidou est scénographiée par Laurence Le Bris comme un « champ » de sculptures, en une seule pièce. Le long mur extérieur est une radiographie exacte de l'intérieur. Les silhouettes superposées des sculptures révèlent le langage formel de David Smith.

X-RAYING AN EXHIBITION

David Smith's exhibition at the Pompidou Centre was X-rayed by Laurence Le Bris like a "field" of sculptures in one room. The long outside wall is an exact X-ray of the interior. The sculptures' superimposed outlines reveal Smith's formal language.

PAGES 78 À 81 :
PROJET D'HABILLAGE GRAPHIQUE DU COULOIR EXTÉRIEUR DE L'EXPOSITION « DAVID SMITH » AU CENTRE POMPIDOU
PROPOSITION NON RETENUE
2007

PAGES 78 TO 81:
GRAPHICS FOR OUTSIDE CORRIDOR OF THE "DAVID SMITH" EXHIBITION AT THE POMPIDOU CENTRE
NON-SELECTED PROPOSAL
2007

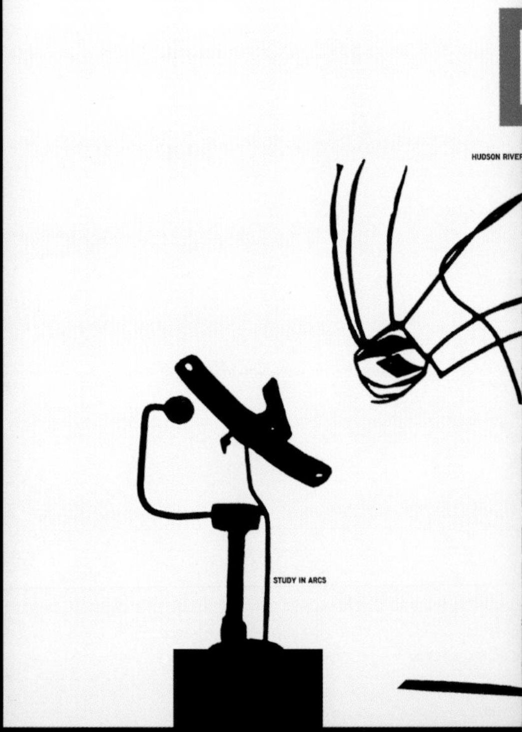

HUDSON RIVER

STUDY IN ARCS

AVID SMITH
CUBI VI
SCULPTURES / 1933 - 1964
CUBI XII
TANKTOTEM XI
14 JUIN - 21 AOÛT 2006
TANKTOTEM XI
TANKTOTEM XI

DAVID SMITH
TANKTOTEM
SCULPTURES / 1933 - 1964
CUBI X
14 JUIN - 21 AOÛT 2006
CUBI XII
CUBI XII
TANKTOTEM VII

CUBI XII
LANDING-C
TANKTOTEM

AFFICHE SUR LA LETTRE « T »
DE LA TYPOGRAPHIE FUTURA BOLD
PROJET PERSONNEL
80 x 120 CM
1998

POSTER ABOUT THE FUTURA
BOLD "T" LETTER
PERSONAL PROJECT
80 x 120 CM
1998

SPONDANCES
STRACTION / MUSIQUE DES COULEURS / LUMIÈRES ANIMÉES
La réalisation de l'œuvre plastique requiert la collaboration
de tous les organes des sens. C'est un effort gros d'événements
insoupçonnés, un effort que le spectateur est invité à refaire,
à l'échelle de ce que lui-même ressent.
FRANTIŠEK KUPKA

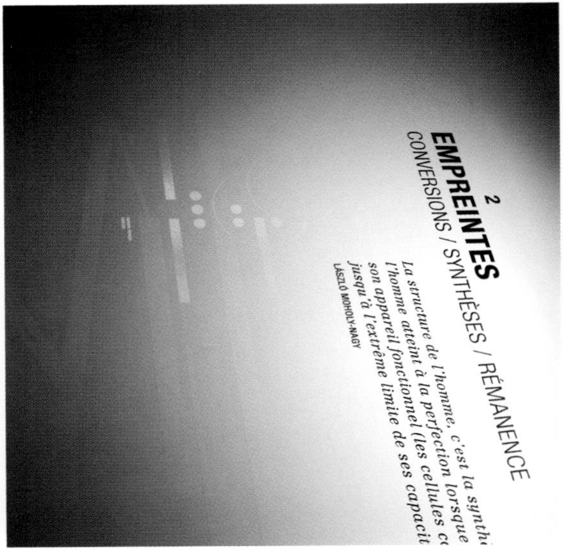

PAGES 84 À 87 :
SIGNALÉTIQUE ET HABILLAGE GRAPHIQUE POUR L'EXPOSITION « SONS ET LUMIÈRES, UNE HISTOIRE DU SON DANS L'ART DU XXe SIÈCLE » AU CENTRE POMPIDOU
ADHÉSIF BLANC MAT ET BLANC BRILLANT SUR MUR BLANC
PAGES 86-87 : DÉTAIL DU MUR D'ENTRÉE
SCÉNOGRAPHIE : LAURENCE LE BRIS
2004

PAGES 84 TO 87:
SIGNAGE AND GRAPHICS FOR THE ["SOUND AND LIGHT: A HISTORY OF SOUND IN 20TH CENTURY ART"] EXHIBITION AT THE POMPIDOU CENTRE
MAT WHITE AND BRILLIANT WHITE ADHESIVE ON WHITE WALL
PAGES 86-87: DETAIL ON ENTRANCE WALL
EXHIBITION DESIGN: LAURENCE LE BRIS
2004

et la force de pression des ondes acoustiques jusqu'aux

UNE NUÉE LUMINEUSE EN VILLE

Une nuée blanche – disques blancs
et translucides suspendus à des fils
transparents – converge vers les Galeries
Lafayette et pénètre à l'intérieur du magasin
vers son point emblématique, la coupole.
L'installation est vivante, elle scintille
et vibre au gré de la lumière et du vent.
À 1 heure du matin, lorsque le bâtiment
s'éteint, certains éléments phosphorescents
continuent à veiller.
(Projet non retenu.)

A LUMINOUS CLOUD IN THE CITY

A white cloud of white translucent discs, hanging
from transparent threads, converges on Galeries
Lafayette and enters the department store near
its emblematic point, the cupola. The installation
is alive, shimmering and vibrating with the light
and wind. At 1am, when the building's lights are
switched off, some phosphorescent elements
continue to glow.
(Non-selected proposal.)

GALERIES
LAFAYETTE

BOUCHARA

ALERIES
AFAYETTE

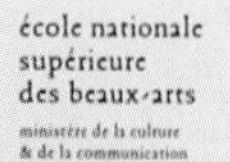
école nationale
supérieure
des beaux-arts
ministère de la culture
& de la communication

14 rue Bonaparte
75272 Paris cedex 06
Tél. 33/01 47 03 50 00
Fax. 33/01 47 03 50 80
www.ensba.fr

PROJET POUR LA NOUVELLE IDENTITÉ DE L'ÉCOLE DES BEAUX-ARTS DE PARIS (ENSBA)
LOGOTYPE, PAPIER À EN-TÊTE ET SIGNALÉTIQUE EXTÉRIEURE
PROJET NON RETENU
2007

PARIS SCHOOL OF FINE ARTS (ENSBA)
FOR SCHOOL'S NEW IDENTITY
LOGO, LETTERHEAD
AND OUTDOOR SIGNAGE
NON-SELECTED PROPOSAL
2007

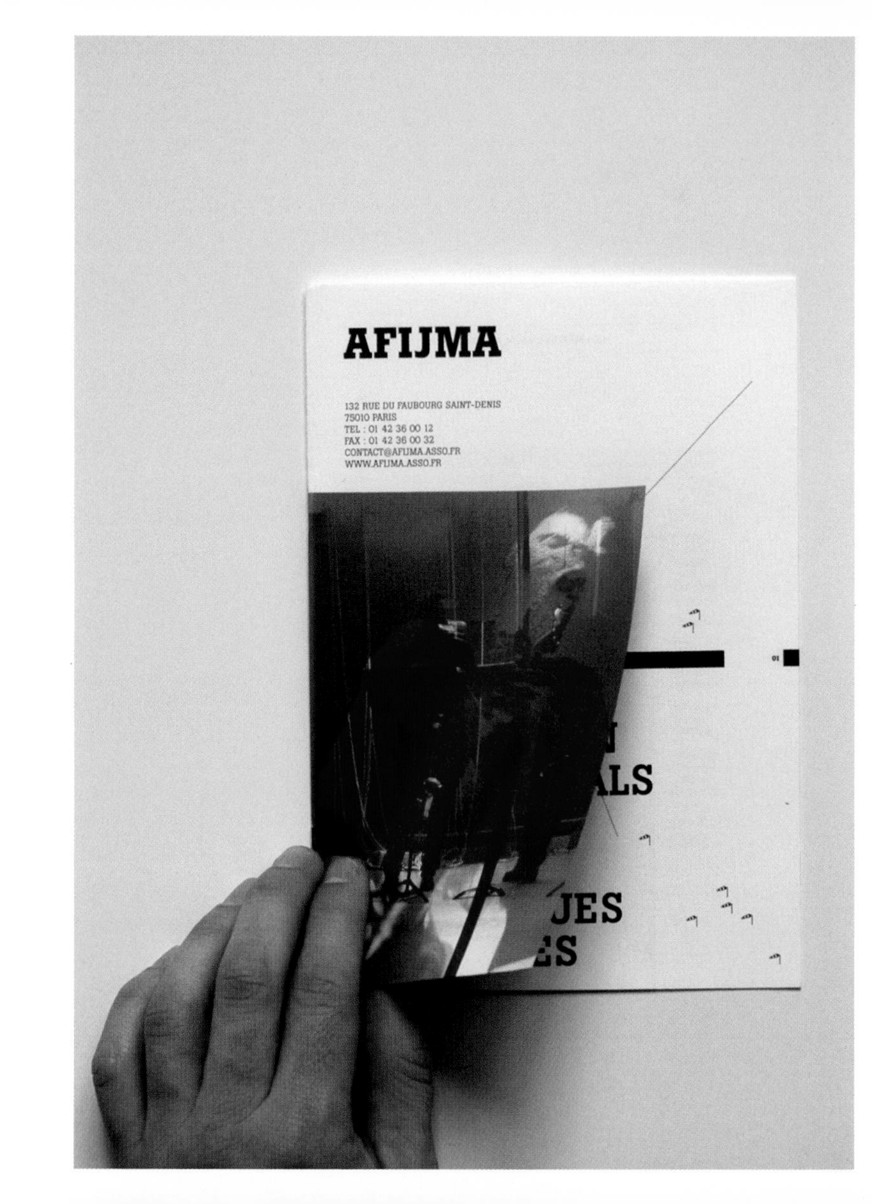
AFIJMA
132 RUE DU FAUBOURG SAINT-DENIS
75010 PARIS
TEL : 01 42 36 00 12
FAX : 01 42 36 00 32
CONTACT@AFIJMA.ASSO.FR
WWW.AFIJMA.ASSO.FR

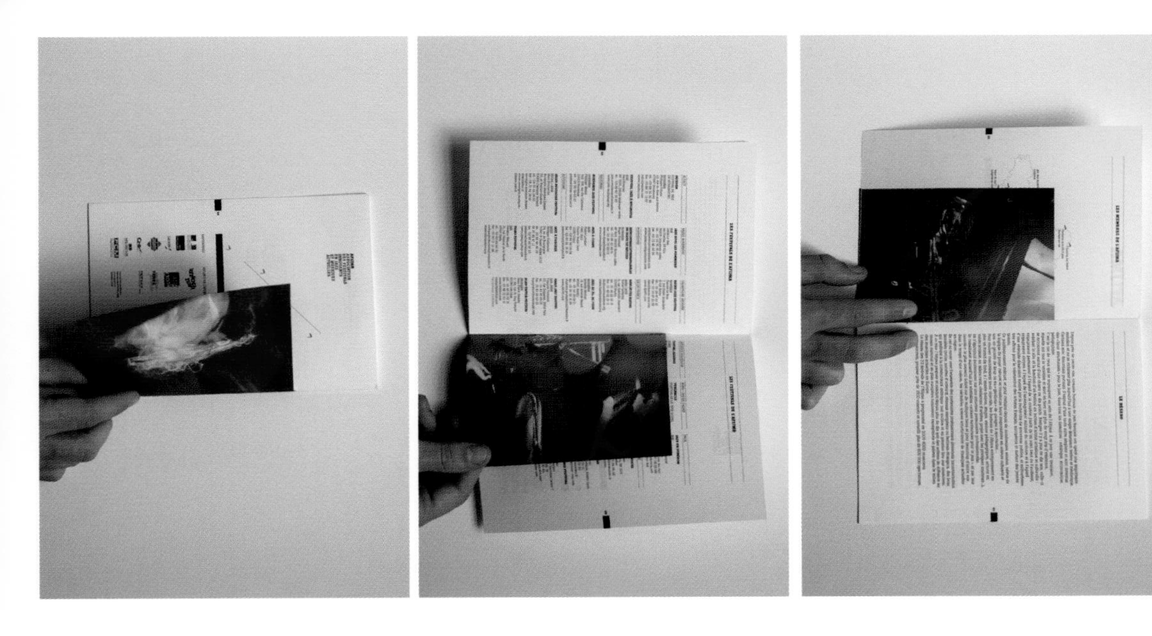

ASSOCIATION DES FESTIVALS
INNOVANTS EN JAZZ ET MUSIQUES
ACTUELLE (AFIJMA)
PLAQUETTE : 15 x 20 CM
CAHIERS IMAGE : 10 x 15 CM
2006

ASSOCIATION OF INNOVATIVE
JAZZ AND IMPROVISED MUSIC
FESTIVALS (AFIJMA)
BROCHURE: 15 x 20 CM,
PICTURE QUIRES: 10 x 15 CM
2006

L'AFIJMA PRÉSENTE DANS LE CADRE DE JAZZ MIGRATION
SLATE, TILBOL,
STEFAN ORINS TRIO
JEUDI 08 DÉC. 2005
À 21H AU TRITON
11 BIS, RUE DU COQ FRANÇAIS, 93260 LES LILAS
MÉTRO MAIRIE DES LILAS, LIGNE 11
RENSEIGNEMENT ET RÉSERVATION
TÉLÉPHONE : 01 49 72 83 13 / FAX : 01 49 72 83 11 / E.MAIL : RESA@LETRITON.COM
JAZZMIGRATION
SLATE
TILBOL
STEFAN ORINS TRIO
60 Bpm
100 Bpm
80 Bpm

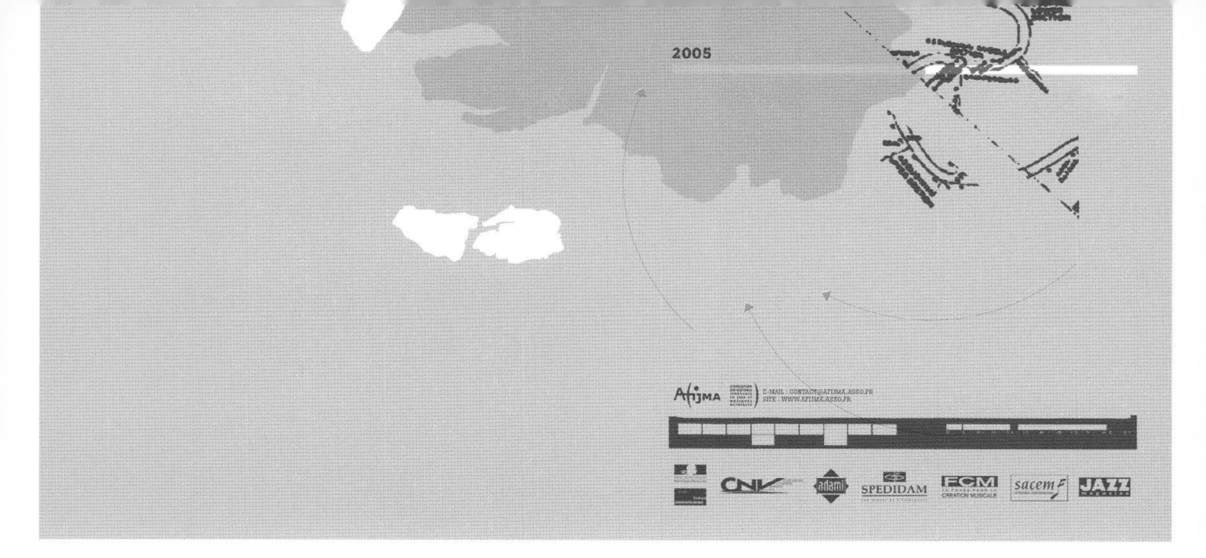

AFFICHE POUR LE CONCERT
« JAZZMIGRATION »
40 x 60 CM
IMPRESSION QUATRE PANTONE®
2005

POSTER FOR THE "JAZZMIGRATION"
CONCERT
40 x 60 CM
4 PANTONE® COLOUR PRINT
2005

JAZZ D'OR

FESTIVAL DE JAZZ DE STRASBOURG
DU 8 AU 22 NOVEMBRE 2002
17E ÉDITION
TEL 03 88 37 17 79 / WWW.JAZZDOR.COM

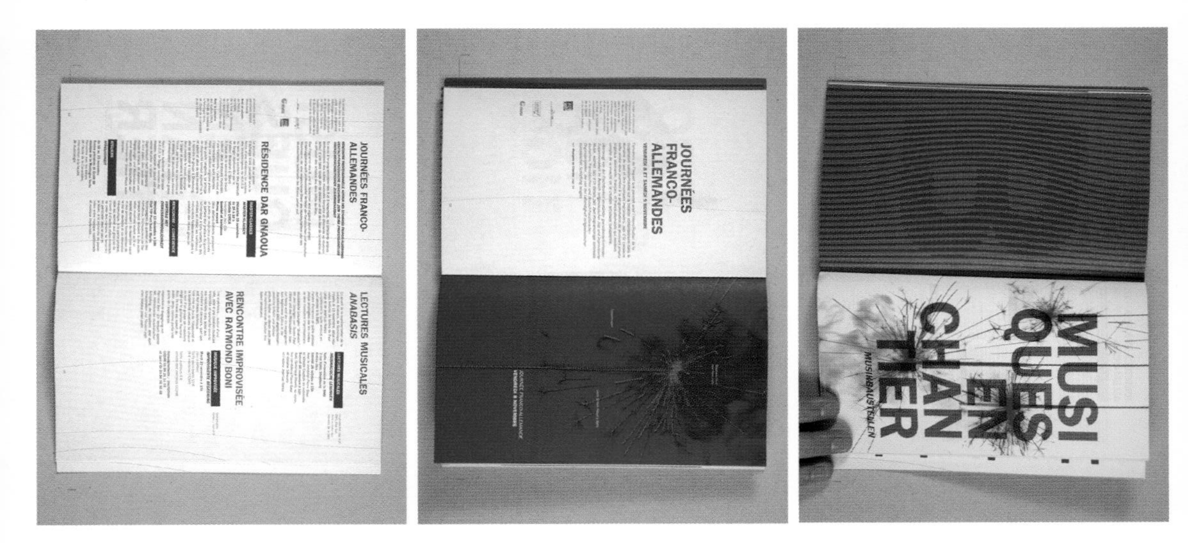

PAGES 98 À 103 :
VISUELS ET BROCHURES POUR
LES 17e, 18e ET 19e ÉDITIONS
DU FESTIVAL DE JAZZ « JAZZDOR »
15 x 21 CM, IMPRESSION DEUX PANTONE®
STRASBOURG, 2002-2004

PAGES 98 TO 103:
VISUAL AND BROCHURE FOR
THE 17th, 18th AND 19th EDITIONS
OF THE "JAZZDOR" JAZZ FESTIVAL
15 x 21 CM, 2 PANTONE® COLOUR PRINT
STRASBOURG, 2002-2004

JAZZDOR

JAZZ-FESTIVAL STRASSBURG
VOM 7. BIS ZUM 21. NOVEMBER 2003
18. AUSGABE

DEUTSCH-FRANZÖSISCHE TAGE: 7/8 UND 14/15 NOVEMBER
TEL 03 88 36 30 48 / OFFENBURG 0781/822000
WWW.JAZZDOR.COM

kulturbüro

JAZZDO

FESTIVAL DE
DU 7 AU 21
18E ÉDITION

TEL 03 88 36 30 48
WWW.JAZZDOR.CO

Strasbourg

12
MERCREDI 12 NOV EM B R E

MUSIQUES EN CHANTIER
MUSIKBAUSTELLEN
ET INFOS PRATIQUES
UND NÜTZLICHE INFORMATION

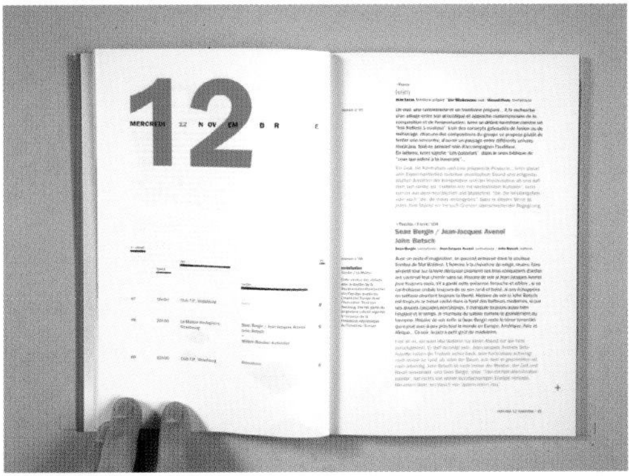

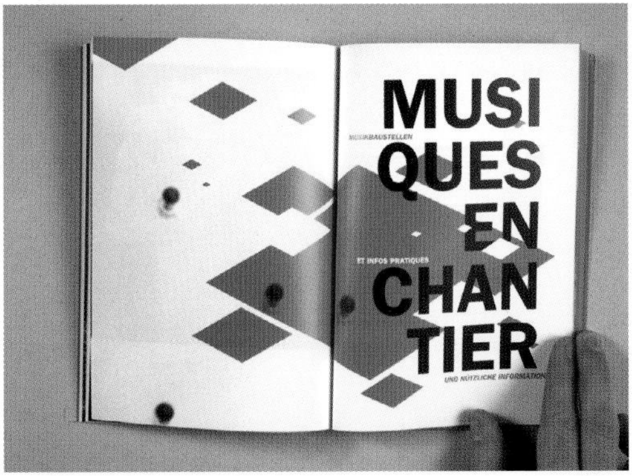

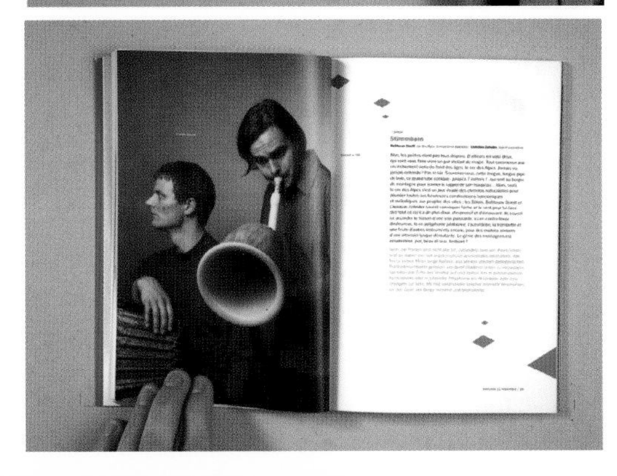

JAZZDOR

FESTIVAL DE JAZZ DE STRASBOURG
DU 5 AU 19 NOVEMBRE 2004
19E ÉDITION
TEL 03 88 36 30 48 / OFFENBURG 0781/822000
WWW.JAZZDOR.COM

JAZZDOR

FESTIVAL DE JA
VOM 5. BIS 19
19. AUSGABE
TEL 03 88 36 30 48 / O
WWW.JAZZDOR.COM

MU
QU
CH
TI

FURTIF
LIVRE SUR L'HISTORIAL DE VENDÉE
CONÇU PAR LE GROUPEMENT
D'ARCHITECTES PLAN 01
ÉDITION PANAMAMUSÉES
17 x 22,50 CM, COUVERTURE :
DEUX PANTONE® ET DEUX VERNIS
2007

[*FURTIVE*]
BOOK ABOUT THE HISTORIAL
DE VENDÉE MUSEUM WRITTEN
BY ARCHITECTS FIRM PLAN 01
ÉDITIONS PANAMAMUSÉES
17 x 22.5 CM, COVER: 2 PANTONE®
COLOURS AND 2 VARNISHES
2007

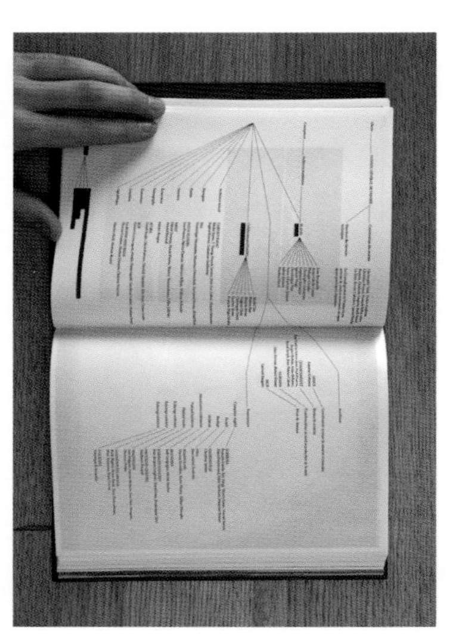

PAGE 095

FANTAISIES
MAGAZINE DU LAFAYETTE GOURMET
ÉDITIONS MÉDINA
TYPOGRAPHIE DE TITRAGE :
CHRISTIAN SALANIÉ-BERTRAND
2002-2005

FANTAISIES
LAFAYETTE GOURMET'S MAGAZINE
ÉDITIONS MÉDINA
TITLE TYPE: CHRISTIAN SALANIÉ-BERTRAND
2002-2005

Numéro 08
Automne 2004
fantaisies
GOURMET

19
1
7
LA FONTAINE
d5

«DADA EST LA POLICE DE LA POLICE »

«DADA LUI NE SENT RIEN, IL N'EST RIEN, RIEN, RIEN
IL EST COMME VOS ESPOIRS : RIEN
COMME VOS PARADIS : RIEN
COMME VOS IDOLES : RIEN
COMME VOS HOMMES POLITIQUES : RIEN
COMME VOS HÉROS : RIEN
COMME VOS ARTISTES : RIEN
COMME VOS RELIGIONS : RIEN»

S

PROJET DE SIGNALÉTIQUE
ET DE CATALOGUE POUR
L'EXPOSITION « DADA »
AU CENTRE POMPIDOU
PROJET NON RETENU
2005

SIGNAGE AND CATALOGUE
FOR "DADA" EXHIBITION
AT THE POMPIDOU CENTRE
NON-SELECTED PROPOSAL
2005

UNE IMAGE = DEUX IMAGES

Treize images (photographies de mode en bleu, photographies d'animaux en rouge) prennent place dans les vitrines des Galeries Lafayette. L'utilisation de gélatines colorées bleu et rouge sur les vitres permet de voir tantôt le portrait du mannequin, tantôt celui de l'animal. Le dispositif a été adapté à l'échelle monumentale de la coupole du magasin. Pour permettre cette installation, le système optique des gélatines de couleur a été remplacé par la projection de lumières rouge et bleue permettant le même jeu optique à l'échelle des images grand format (5 x 8 mètres).

1 IMAGE = 2 IMAGES

13 images – a blue fashion portrait and a red animal portrait – in Galeries Lafayette's window displays. A system of blue and red coloured gelatine sheets on the windows let you see one or other of the portraits. The set-up is adapted to the monumental scale of the store's cupola. For this installation, the optical system of the colour gelatine sheets is replaced by projected red and blue lights, allowing the same optical game on a scale of 5 x 8 metre images.

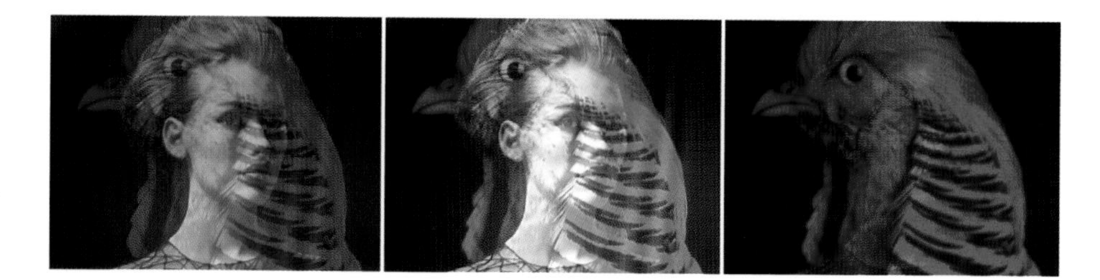

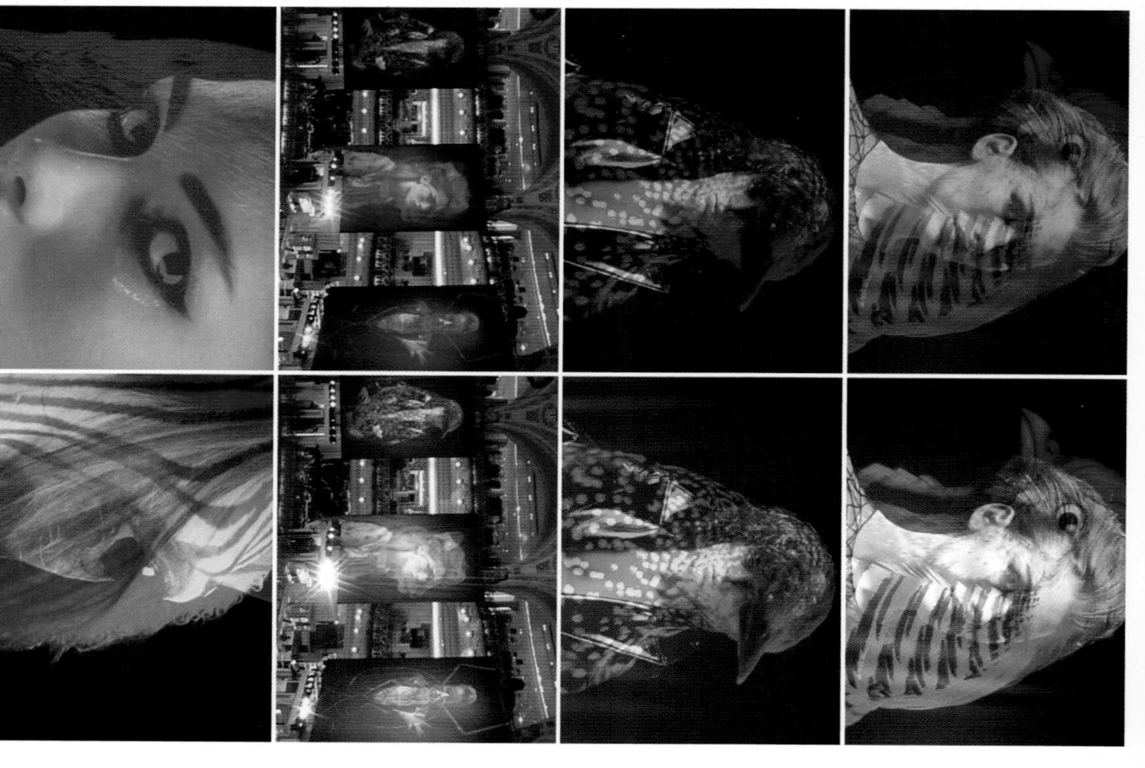

PAGES 110 À 117 :
« BÊTES DE MODE »
OPÉRATION COMMERCIALE
AUX GALERIES LAFAYETTE
VITRINES, INTÉRIEUR DU MAGASIN
ET MOTIF
PHOTOGRAPHIES : LAURENT CROISIER
(MANNEQUINS), CHRISTOPHE URBAIN
(ANIMAUX)
2006

PAGES 110 TO 117:
"BÊTES DE MODE"
SALES OPERATION AT GALERIES LAFAYETTE
WINDOW DISPLAYS, STORE INTERIOR
AND MOTIF
PHOTOGRAPHS: LAURENT CROISIER
(FASHION), CHRISTOPHE URBAIN (ANIMAL)
2006

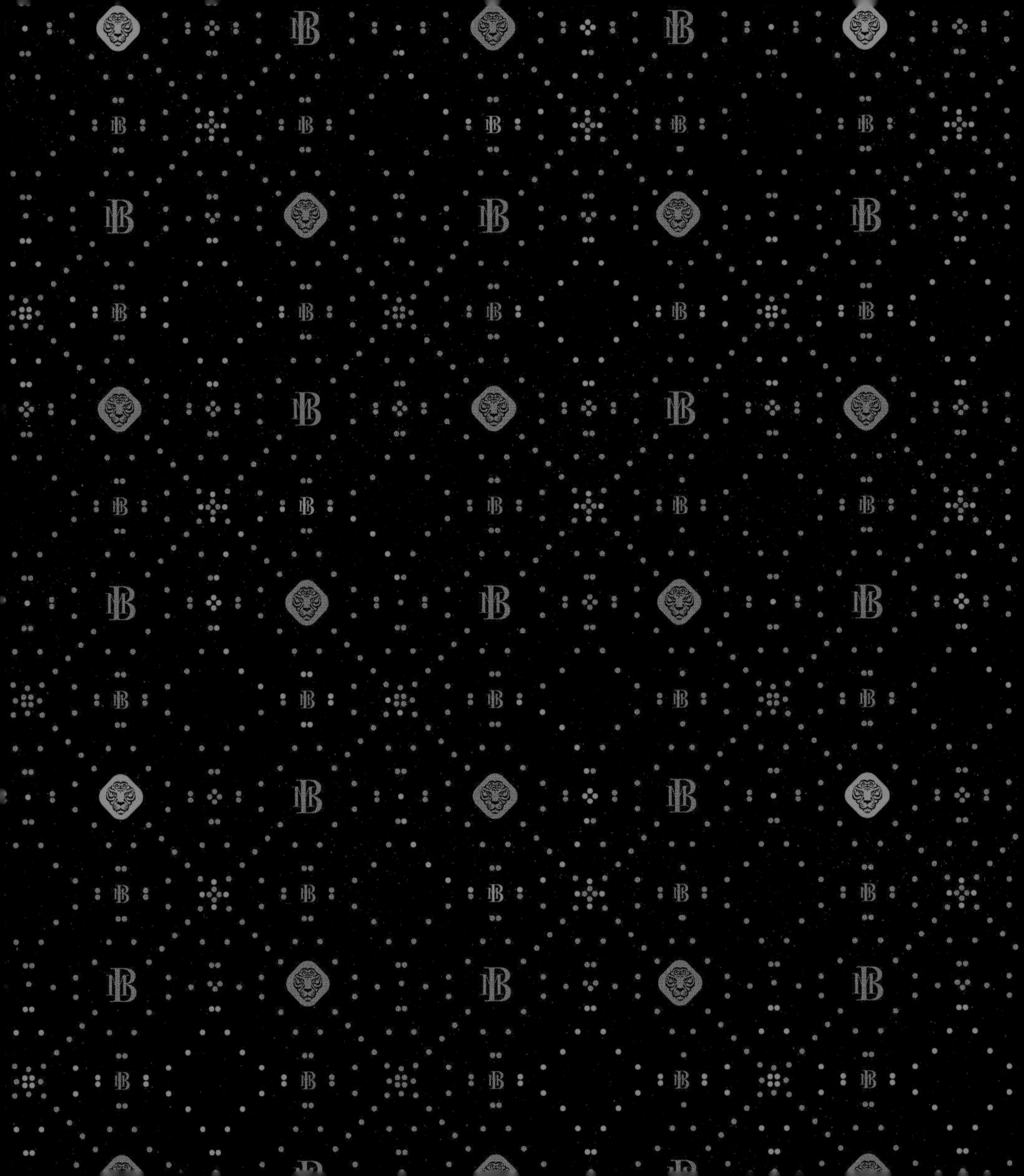

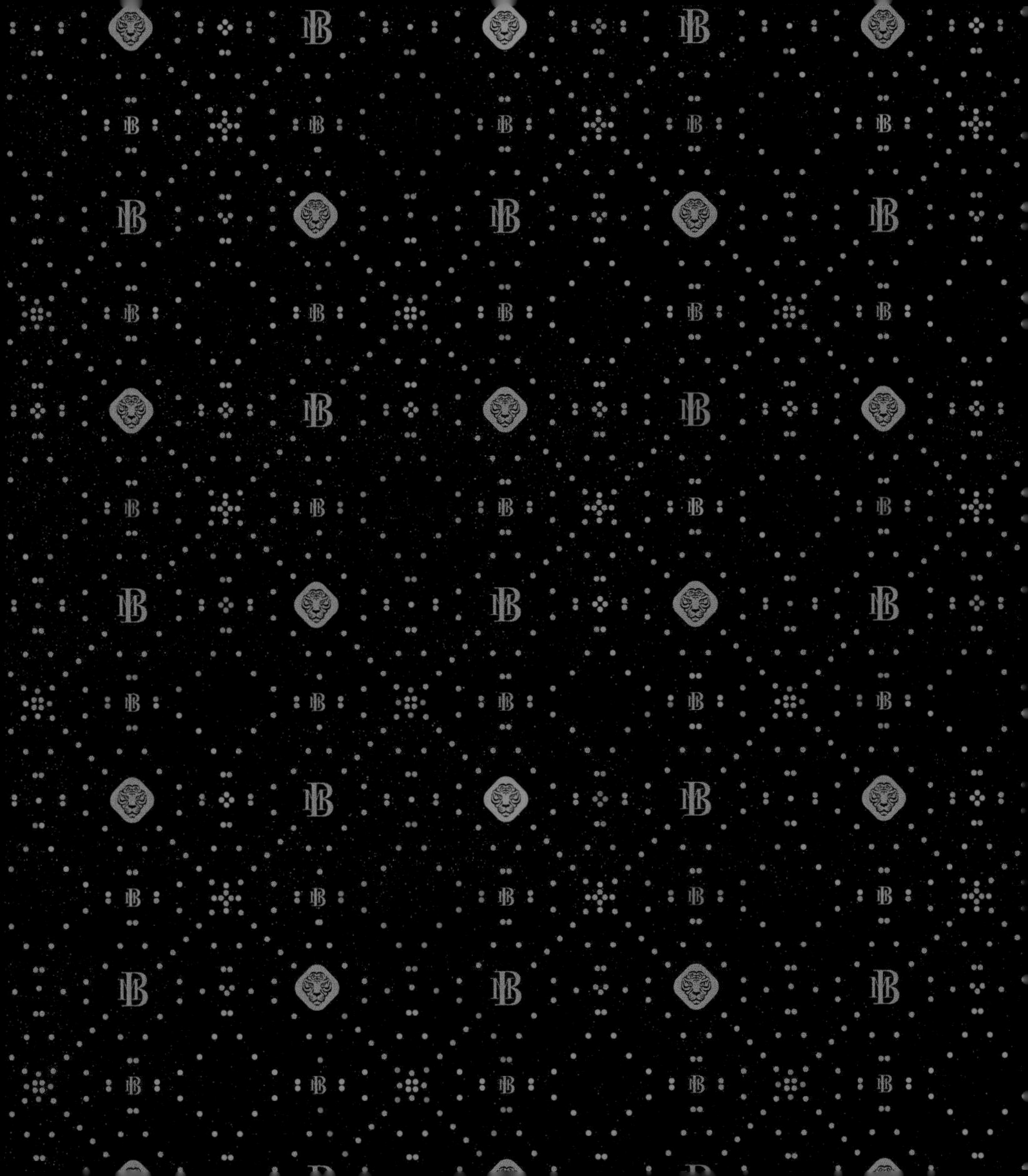

DIMETTO FINE HANDMADE HATS
LES BEAUX CHAPEAUX
DE THOMAS DIMETTO !
PHOTOGRAPHIES : THOMAS DIMETTO

DIMETTO FINE HANDMADE HATS
THOMAS DIMETTO'S BEAUTIFUL HATS!
PHOTOGRAPHS: THOMAS DIMETTO

REMERCIEMENTS / ACKNOWLEDGMENTS:

Nous devons ce livre à tous les commanditaires, interlocuteurs, collaborateurs, amis, imprimeurs, etc., qui nous ont fait confiance, nous ont écouté, nous ont aidé à développer nos idées, à les préciser : Jérôme Delormas, Catherine Batôt et l'équipe du Lux[v], Philippe Ochem et l'équipe du festival « Jazzdor », Anne Claire Boulard et Tulip Santene pour les Galeries Lafayette, Ivan Legall, Isabelle Gaudefroy et Katell Jaffres pour la Fondation Cartier, Laurence Le Bris pour le Centre Pompidou, Luce Penot et Manon Lenoir des éditions Textuel, Ludovic Houplain & les H5, Saïd + Cécile et les Pin-up du Bar du Marché, Pierre Pinoz et l'équipe de l'imprimerie Expressions 2, Dodeka, Stéphane Bamy, Emmanuel Hoseyn During de Maliétès, Jean-Philippe Cléau et l'ensemble des enseignants d'arts appliqués du lycée Pasteur à Besançon, Nicolas Delon et Julien Chopin, Grégoire Talon, Alice Guillier, Thomas Delamarre, Plan 01 Architectes, Thomas Baas aka le Baron, Akroe, Didier Balicevic, Sabine Houplain et Nathalie Bailleux aux éditions du Chêne, Christophe Urbain, Bertrand Desprez, Clémentine & Tendance Floue, Stéphane Brasca et tous les photographes de *de l'air*, Denis Pegaz-Blanc, Romain Vallos, Laurent Croisier, Marie-Claire Vautrin, Benoit Bonnemaison-Fitte, Marie-France de Crécy, Marie François, Antoine Massari, Morad Tangi, Marc Touitou, Pascale Cervoni, Guy et Patricia du Kleber...
Et, bien sûr, tous les stagiaires qui ont participé aux projets et à l'atmosphère de l'atelier pendant quelques mois : Audrey Prudhomme, Thomas Petit-Jean, Biblis Duroux, Mathieu Meyer, Antoine Stévenot, Julie Vayssière, et tous les autres...
À nos familles, compagnes, enfants et nos proches, bien sûr.
Spéciale dédicace de Thomas Dimetto à Mylène, Kio et Rubène.
À Dominique Chapon.

We owe this book to all the clients, interlocutors, colleagues, friends, printers... who have trusted us, listened to us, and helped us develop our ideas: Jérôme Delormas, Catherine Batôt and the Lux[v] team, Philippe Ochem and the "Jazzdor" festival team, Anne Claire Boulard and Tulip Santene for Galeries Lafayette, Ivan Legall, Isabelle Gaudefroy and Katell Jaffres for the Fondation Cartier, Laurence Le Bris for the Pompidou Centre, Luce Penot and Manon Lenoir at Éditions Textuel, Ludovic Houplain and the H5 bunch, Saïd + Cécile and the pin-ups at Bar du Marché, Pierre Pinoz and the team at Expressions 2 printworks, Dodeka, Stéphane Bamy, Emmanuel Hoseyn During of Maliétès, Jean-Philippe Cléau and all the applied-arts teachers at Lycée Pasteur in Besançon, Nicolas Delon and Julien Chopin, Grégoire Talon, Alice Guillier, Thomas Delamarre, Plan 01 Architectes, Thomas Baas aka Le Baron, Akroe, Didier Balicevic, Sabine Houplain and Nathalie Bailleux at Éditions du Chêne, Christophe Urbain, Bertrand Desprez, Clémentine & Tendance Floue, Stéphane Brasca and all the photographers at *de l'air*, Denis Pegaz-Blanc, Romain Vallos, Laurent Croisier, Marie-Claire Vautrin, Benoit Bonnemaison-Fitte, Marie-France de Crécy, Marie François, Antoine Massari, Morad Tangi, Marc Touitou, Pascale Cervoni, Guy and Patricia at Le Kleber...
And, of course, all the interns who have been part of the studio's projects and atmosphere for a few months: Audrey Prudhomme, Thomas Petit-Jean, Biblis Duroux, Mathieu Meyer, Antoine Stévenot, Julie Vayssière, and all the others...
To our families, partners, children and close friends, of course.
Special thanks from Thomas Dimetto to Mylène, Kio and Rubène.
To Dominique Chapon.